L'Arpenteur

Collection créée
par Gérard Bourgadier

dirigée
par Ludovic Escande

Frederika Amalia Finkelstein

L'OUBLI

roman

GALLIMARD | L'ARPENTEUR

À la mémoire de mon grand-père, Jacobo
et à mon frère, Stanislas

I

One more time

DAFT PUNK

L'absence de solution n'est pas exprimable

GEORGES BATAILLE

Je ne dévoilerai pas mes sentiments les plus intimes

ADOLF EICHMANN

1

Extermination des Juifs. Je ne vais pas entrer dans les détails. Ils vous les ont rabâchés jusqu'à l'écœure-ment, vous imposant des horreurs telles que *Nuit et Brouillard* en infusant votre esprit d'une misérable culpabilité. Je le dis sans honte : je veux oublier, anéantir cette infâme Shoah dans ma mémoire et l'ex-traire comme une tumeur de mon cerveau. Je veux que le gouffre de l'Histoire l'ensevelisse à jamais.

Je continue d'espérer que les morts me laissent tranquille, mais il n'en est rien. La vision d'une salle de douches d'Auschwitz après la propagation du Zyklon B par les SS vient me déranger le soir quand je ne parviens pas à dormir. Elle se situe 3 à 10 minutes après le déversement du gaz au travers des fentes murales aménagées pour le massacre : je sens une odeur âcre, je vois des corps blancs et nus amassés les uns sur les autres. Il y a des enfants, des femmes, des vieillards ; ils forment des piles de chair humaine. Les plus haut perchés ont griffé le plafond de manière si intense qu'ils y ont laissé leurs ongles. Ils ont tous le crâne tondu, mais sur les nuques négligées par les rasoirs gisent encore quelques cheveux, rêches comme de la paille. La plupart de ces individus ont succombé les yeux ouverts, fixant un point dans le vide. Les toux, les gémissements, les suffocations ont cessé : il ne reste que le silence de la mort.

J'ai oublié la date du jour que je suis en train de vivre. Je me lève et je m'assois sur mon lit, le dos contre le mur. Je demande au logiciel de reconnaissance vocale de mon téléphone quelle est cette date ; une voix féminine (son nom est Siri, elle a un timbre de blonde) me répond que nous sommes le dimanche 25 avril et qu'il est 2 h 30. Je lui dis : « Siri, j'ai peur de dormir » mais elle fait mine de ne pas comprendre. J'enfonce des écouteurs blancs dans mes oreilles, *One more time* démarre à un volume faible. Le morceau fonctionne, je dirais même qu'il pourrait aller jusqu'à me donner envie de danser lentement dans la chambre — je parviens parfaitement à chasser cette vision de mon esprit. J'augmente le volume. Le rythme répétitif couvre la voix intérieure qui me dit que c'est une illusion de croire que je vais pouvoir un jour oublier définitivement le Zyklon B et les nuques négligées par les rasoirs. Je peux affirmer avec certitude que mon grand-père n'est pas mort dans le camp d'Auschwitz et cela peut me laisser en paix avec la phobie des douches.

Il m'arrive de tomber dans l'aigreur. C'est alors que je suis tentée de confier mes sentiments à une machine. À ce jour, cependant, la capacité émotionnelle des machines demeure insatisfaisante : il y a un manque de chaleur. Il se peut que le problème du manque de chaleur soit bientôt résolu — j'attends du progrès la conquête scientifique de l'émotion. J'ignore si c'est une chance, comme j'ignore si le jour où la science aura acquis la possibilité de fabriquer des machines réellement capables d'émotion sera aussi le dernier jour de l'humanité (il y a l'effet et sa cause). Je pense que notre monde est agencé à la perfection; de ce point de vue, nous pouvons dire que c'est un chef-d'œuvre. Seulement, il y a ce déficit : j'aimerais pouvoir me confier à une machine capable d'émotion.

Que diriez-vous si j'affirmais que ce déficit est peut-être le prix à payer pour avoir éradiqué approximativement 14 000 000 d'êtres humains en l'espace de 12 ans, dont environ 6 000 000 de Juifs? Pourquoi ne pas rêver? Gaz, fusillage, affamement, de la manière la plus extraordinairement organisée, le résultat étant que je n'aurai sans aucun doute jamais droit à interagir avec une machine capable d'émotion. Il y avait à faire un choix, mettre à sac l'humanité *ou* créer des machines capables d'émotion, ce choix a été fait : mettre à sac l'humanité. Ce n'est qu'une hypothèse, j'en ai beaucoup d'autres. Il m'arrive pourtant d'avoir les larmes aux yeux devant mon Macintosh mais effectivement mon Macintosh n'a jamais les larmes aux yeux devant moi. Il est condamné à l'absence de larmes, ce qui, maintenant que j'y pense — et c'est sans doute une lubie — a probablement été rendu possible par la propagation

13

du Zyklon B dans les poumons des Juifs, des homosexuels, des handicapés, des fous : j'en passe. Notons que *One more time* est un morceau parfaitement composé, je veux dire, dont l'absence d'émotion est portée à son plus haut degré de maîtrise.

J'ai la vie devant moi : autrement dit, je ne devrais pas être en train de crouler sous une avalanche de pensées noires. Et pourtant, je continue. Je me dis qu'il se peut qu'un jour je me réveille en ayant tout oublié. Par tout, j'entends : la musique, la couleur du ciel, le goût du Coca-Cola, le visage de mon grand-père (je n'ai que deux photographies), la haine, l'amour, mes souvenirs et le peu que j'ai appris. Pourquoi ai-je peur de dormir ? Eh bien voilà, parce que dormir c'est prendre le risque de tout perdre. « Je peux me réveiller demain la mémoire vide » est la pensée qui vient m'empoisonner chaque soir, et chaque soir je suis prise d'une crainte qui éloigne le moment où je pourrai me délivrer du lourd poids de l'état de veille et de cette fatigue accumulée pendant d'interminables heures. Je le pense à intervalles réguliers : je peux perdre la mémoire dans la prochaine seconde. Car si cela est possible pour un ordinateur, cela doit être possible pour un humain.

Si je perds je continuerai à perdre. C'est un art, je le sais, car ceux qui perdent le savent : perdre, comme gagner, est une spirale. Le monde est d'une parfaite logique, je l'ai déjà dit, c'est cela même que j'admire. Cette logique impitoyable est la seule loi de notre monde, elle le sera jusqu'à la fin.

*

J'ouvre mon Macintosh. Fini Auschwitz. Soudain je vois Times Square de nuit sur mon fond d'écran et cette image demeure plusieurs secondes devant mes yeux. Elle m'aspire : l'espace d'un instant, j'oublie tout ce qui me dérange. Mon ordinateur est là pour sélectionner ce qui convient à ma mémoire, et en cela je confirme que la technologie est fabuleuse — en plus elle est arrivée à temps. Je l'aime à un point qui n'est pas exprimable (il va sans dire qu'il y a une part de haine), mais elle est là pour moi quand je suis seule face à toutes ces pensées morbides. Quand je me sens mal, quand j'ai le cafard, quand je suis écorchée par la solitude : j'ouvre mon ordinateur, il est déjà allumé, je rejoins le réseau et c'est une aventure qui commence.

Je le répète : je n'ai aucune peur d'oublier l'extermination des Juifs. Plus précisément, je souhaite qu'on me fiche la paix avec cette histoire, qu'on la raye de ma vie une bonne fois pour toutes car c'est le seul moyen que j'ai de survivre. Je ne supporte pas le matraquage dont fait l'objet la société dans laquelle je vis, je ne supporte pas ce qu'on inflige à mon cerveau affamé d'espoir et de douceur. Je veux vivre dans un monde sans violence, neutre et harmonieux comme la Suisse (la Suisse telle que je la rêve) et je veux pouvoir écouter Daft Punk sans penser aux chevelures de femmes tondues et amassées dans des bocaux à côté

15

d'autres bocaux remplis de dents, d'ongles, de peaux de Juifs, sans penser à ces morts qui me dégoûtent pour la simple raison qu'ils ont été exterminés. *Ce sont des rats*, tués comme des rats ! Je veux voir le soleil se lever avant 7 heures car j'aime le printemps pour la seule beauté de son aurore, et je veux faire le tour de la place des Vosges jusqu'à ce que le jour sorte de la nuit sans qu'une pensée sinistre puisse venir m'interrompre. Tout à l'heure je sortirai pour voir le soleil se lever, puis je rentrerai à pied jusqu'à la rue d'Hauteville et je me coucherai en silence.

Vous ne savez même pas qui je suis

Enchantée, je m'appelle Alma, j'ai entre 20 et 25 ans. Alma-Dorothéa est mon véritable prénom, mais tout le monde m'appelle Alma depuis l'adolescence parce que depuis l'adolescence lorsqu'on me demande « comment tu t'appelles ? » je me contente de répondre : *Alma* et de cacher le reste. On m'appelait Dorothéa dans mon enfance mais je veux oublier l'enfant que j'étais pour toujours car nous voulons oublier ce qui en nous se déchire ; appelez-moi comme bon vous semble, je vous laisse me nommer.

*

Revenons à nos moutons. Certains ne sont pas d'accord avec les chiffres. Certains recomptent les morts. Les chiffres requièrent une exigence et une rigueur qui peuvent rendre malade, pour peu qu'on ait le goût de la minutie. En d'autres termes, les chiffres nous rendent seuls : je le sais parce que les chiffres me hantent. Je pense pouvoir dire que les nazis ont souffert d'une extrême solitude, la solitude du calcul. Le monde entier vit sur cette immense couche de solitude nazie qui fait notre sol, cette immense solitude des chiffres. Parfois j'aimerais en sortir, ne serait-ce que pour quelques heures. Je voudrais me coucher un soir sans penser à une date ou à un nombre. J'aimerais goûter à cet instant. Ma mémoire s'est retournée contre moi, elle a cessé d'absorber le temps — j'oublie presque tout, puis je me souviens, puis j'oublie encore : sauf les sons et les chiffres, fidèles à leur poste. Un jour quelqu'un m'a demandé si mon grand-père était mort à Auschwitz. J'ai répondu : « Non, à Buchenwald. » Il m'arrive de mentir. La vraie raison m'échappe. Il est 2 h 45, je suis chez moi et je suis seule parce que la nuit je veux pouvoir construire un raisonnement, aussi maigre et tordu soit-il. Il me faut mon instant de détente intellectuelle, nager dans un fleuve de pensées neutres ou obscures, me mettre hors de tous les circuits. *One more time* redémarre dans mes écouteurs, je pense aux *Variations Goldberg* de Glenn Gould, à leur froideur. J'éprouve régulièrement une gêne quand j'écoute de la musique : une superposition mentale de plusieurs mélodies, comme une superposition de corps dans une fosse (j'utilise beaucoup de métaphores) sans la saleté et la putréfaction que cela

17

induit, mais le même désordre. Quand la musique de Daft Punk a éclaté dans mes oreilles il y a quelques minutes j'ai entendu le deuxième mouvement de la 21e sonate de Schubert. Beaucoup de mélomanes nazis ont dû pleurer en l'écoutant. Le sommeil ne vient pas jusqu'à moi, je n'éprouve aucune fatigue, je me sens même capable d'aller courir en tee-shirt dans le froid et dans la nuit jusqu'aux quais de la Seine. Je sais que je peux le faire et c'est une raison suffisante pour m'en ôter le besoin. Je pourrais succomber à la mort subite du sportif, c'est un risque que je veux éviter. Mon grand-père est né en 1912, la même année qu'Eva Braun. Le 12 décembre, et non le 1er janvier, celui-là est le jour de sa mort. Il est né le 12 décembre 1912, à Cracovie, en Pologne.

Pour tout vous avouer, j'ignore pourquoi j'ai laissé croire que mon grand-père était mort dans un camp. J'ai dit « Non, à Buchenwald » et j'ai menti. Je mange une pomme en essayant de me rappeler les noms des camps de concentration et d'extermination nazis — il faut que je me souvienne. Je connais les principaux, je les ai appris par cœur il y a quelques années, pour régler la question. C'était une très belle carte sur Wikipédia. La légende comprenait deux symboles : une tête de mort noire pour les camps d'extermination et une tête de mort rouge pour les camps de concentration : la même tête de mort que sur les détergents. Je les ai appris par ordre alphabétique, et non géographique, c'est plus simple et plus propre dans mon cerveau. Ma pomme a 6 pépins, je les recrache ; c'est une sale manie. Je commence. Auschwitz I, Auschwitz II, Auschwitz III — (les plus faciles à retenir) — Bad Sulza, Belzec, Bergen-Belsen, Chelmno, Dachau, Dora, Esterwegen, Flossenbürg, Fuhlsbuttel, Gross-Rosen, Hertogenbosch, Hinzert, Kaunas, Klooga, Lichtenburg, Lublin-Majdanek, Maly Trostenëts, Mauthausen, Moringen, Natzwiller-Struthof, Neuengamme, Niederhagen-Wewelsburg, Orianenburg, Ravensbrück, Riga-Kaiserwald, Sachsenburg, Sobibor, Treblinka, Vaivara. 32 camps, construits, utilisés, abandonnés, sur une période de 8 ans, entre 1937 et 1945. 32 est le chiffre dont je me souviens. Il m'est pénible d'avouer que la liste est incomplète, je veux dire : imparfaite. Cette obsession des chiffres me travaille, parfois j'ai peur qu'elle me tue. Le mot « travail » m'obsède. Dans les camps aussi, ça travaillait. Le travail est une valeur essentielle dans ma famille, je crois qu'elle l'est dans toutes les autres. Je sais ce que je risque un des ces jours, la folie ou le suicide. Il faut que je me soigne mais je ne sais pas. Je ne sais peut-être rien. Mes yeux se concentrent sur une ampoule pendue au plafond de ma chambre. Je me dis : il est possible qu'il n'y ait aucune logique à ce monde, que toute chose soit le fruit d'un pur hasard sans signification. Aucune logique. Mes pupilles ont imprimé l'intensité de la lumière, je vois un point blanc partout où je regarde. Un rire nerveux me traverse le corps. Voilà une pensée terriblement angoissante. Et pourtant elle m'attire. J'ai toujours envisagé un monde logique parce que j'ai toujours fait confiance aux chiffres. Les chiffres suivent une logique implacable. C'est cette rigueur que j'aime, que j'approuve, devant laquelle je m'incline. Les chiffres ne pourront jamais me trahir ; au pire, ils me surprendront d'une manière désagréable mais ils n'échoueront pas devant leur tâche. Ils répondront éternellement et inlassablement à leur devoir. « Ton grand-père est mort à Auschwitz ? — Non, à Buchenwald. » J'ai menti. Pourquoi ? J'ai détesté la question. Le ton était décalé par rapport à l'objet.

« Je traverse la mort tous les jours » est une phrase que j'ai entendue la semaine dernière pendant la nuit à la télévision. J'ai aimé cette phrase. Je regarde ma montre, il est 3 h 12. Elle retarde chaque jour de 5 minutes parce qu'elle a été fabriquée il y a 60 ans, Adolf Eichmann était encore vivant. Je ne l'ai pas ajustée depuis 48 heures. Il est donc en réalité 3 h 22. Je me demande à quel moment ma vie est devenue une menace permanente. Je vois trois possibilités. Il y a peut-être eu, premièrement, un retournement radical à un moment précis, traduisible en une date, en une heure, en une année précises et j'ai simplement produit une faute d'inattention à cet instant, je l'ai manqué. Deuxièmement, un enlisement progressif, non identifiable à un moment T, mais calculable proportionnellement entre telle et telle période (j'ignore lesquelles) de mes quelque 20 années d'existence. Troisièmement : ma vie tout entière a toujours été un cauchemar, dès lors que j'ai commencé à vivre.

Est-il utile de produire ce genre d'énoncé? Non. Il faut renoncer à ce parasitage de pensées nocives qui m'éloigne du but. Je mens peut-être plus que je ne le pense, je ne sais pas jusqu'où. Ma mémoire est déchirée en mille petits morceaux dispersés dans le temps. Ma famille m'a caché beaucoup de détails, les familles ont toujours horreur des détails, la généalogie leur fait maintenant défaut. Je suis précédée par trois quarts de vide. Il n'y a que la vie de mon grand-père que je connais un peu, pour la simple raison qu'il a été un héros, le héros de sa fille. La vie de mon grand-père m'a été transmise mythiquement, avec beaucoup de chiffres et de données. Je ne me fais aucune illusion, on m'a forcément menti sur les faits, et abondamment. Peu importe. Ce n'est en aucun cas un problème ni une difficulté. J'attache peu d'importance aux faits. La vérité n'est pas une histoire de faits, elle est tout ce qu'elle veut être.

Quand je suis tendue, je fais quelques additions dans ma tête pour apaiser mon esprit. J'ai un verre dans la main droite mais il est vide parce qu'il n'y a rien à boire chez moi. Un verre vide est entièrement imparfait, il est donc contrariant. Je connais le chiffre de l'imperfection; c'est le chiffre 6. Une lassitude m'étreint. J'ai soif. Je repense aux pires moments de mon enfance, au chantage que me faisait mon frère devant la bouteille de Coca-Cola pour que je puisse remplir mon verre. Il y a des vies empoisonnées. Le temps s'accélère et s'élargit. Je reviens vers mon ordinateur. Mes yeux s'arrêtent sur la page d'accueil du

plus grand moteur de recherche du monde, hypno-
tisés par sa blancheur et par sa pureté. J'avais huit
ans, j'étais assise sur le parquet, les mains sur les
genoux. Mon frère a dit « écoute ». J'ai ressenti des
vibrations dans la gorge puis une voix froide et sans
sexe a répété *One more time*. Le morceau redémarre
dans mon casque, mes yeux sont rivés sur l'écran, je
pense que la sortie de l'album *Discovery* a été un
moment important de ma vie et de l'Histoire. Il n'y a
plus rien à manger, plus rien à boire, l'eau du robinet
me dégoûte, je reste plusieurs minutes assise sur une
chaise transparente à m'effondrer mentalement. Je
me demande ce que je vais faire de cette nuit, plus
précisément, la question est : comment arriver
jusqu'au jour ? Je me tourne vers mon piano noir
rangé contre le mur, plein de poussière. Le couvercle
est verrouillé, cela fait plusieurs mois que j'en ai
perdu la clé. Une nausée me vient. « J'aimerais jouer
du piano. Je ne joue pas du piano et n'en jouerai
jamais, cela me suffoque, parfois même plus que les
horreurs, la rivière noire de mon passé qui me porte
par les années. Je n'en reviens littéralement pas »
— j'ai lu ça un jour dans un roman, et mes yeux ont
soudain interrompu la lecture, parce que moi non
plus je n'en revenais littéralement pas d'avoir laissé
tomber le piano. Glenn Gould n'a jamais laissé
tomber, c'est un trait de courage dont il peut être
fier. La musique de Daft Punk disparaît, celle de
SebastiAn commence, mes oreilles brûlent. Le jour se
lèvera à 6 h 40. Une faible lumière entrera dans ma

chambre. J'ouvre la fenêtre et je glisse ma main dehors, il ne fait pas très froid, la rue est aussi vide que le ciel. Je ferme la fenêtre ; mes yeux tombent sur une lézarde : je regarde le mur se fissurer. Ma mémoire, mon cerveau, le temps et le monde sont semblables à cette fissure. Ce n'est pas une chimère. Adolf Hitler détestait les fissures, il aurait fait repeindre immédiatement cette chambre.

*

Je suis entraînée par quelque chose d'obscène. Je ne comprends pas pourquoi, seulement je le sais. Je voudrais remplir mon verre de Coca, c'est tout ce que je veux à cet instant. Il faut vous dire que j'ai longtemps refusé l'eau, sa clarté m'insupportait. Enfant, je ne buvais que du Coca. Il m'est arrivé de passer 48 heures sans boire parce qu'il n'y avait pas de Coca-Cola à la maison. Un corps déshydraté délire. C'est une expérience unique. La tête gonfle de douleur, la bouche devient sèche et acide, le regard modifie ses visions. On voit des paysages étranges, les contours s'embrasent, puis on commence à avoir froid, on tremble et on se met à rire. La déshydratation a joué un rôle central dans les camps. Des détenus sont morts en avalant leur langue, assoiffés à l'extrême. Il fallait raréfier l'eau pour dessécher les corps, les vider progressivement de toute substance jusqu'à la dernière larme. Cependant, pour les expériences dites médicales, l'eau était disponible. On plongeait des « sujets » dans des baignoires d'eau glacée. Le docteur Sigmund Rascher a écrit à Himmler le 5 avril 1942 un compte rendu d'expériences « aquatiques » réalisées à Dachau. J'ai appris par cœur ces quelques phrases. « Les *sujets* furent immergés dans l'eau avec leur équipement complet, serre-tête compris. Une ceinture de sauvetage les maintenait à flot. La température de l'eau variait de 2 à 11 °C. Au cours des premières expériences, le cervelet et la nuque sortaient de l'eau. Au cours des autres séries d'expériences, la nuque et le cervelet furent immergés. On a enregistré électriquement des températures de l'ordre de 26,5 °C dans l'estomac, et de 26,6 °C dans le rectum. La mort ne survenait que lorsque la moelle et le cervelet étaient atteints par le froid. » J'ai eu la hantise que mon grand-père ait connu la mort dans de pareilles conditions ; j'ai donc appris ces phrases pour contenir rationnellement ces expériences dans ma mémoire au cas où il les aurait vécues ; ne pas laisser mon imaginaire déborder les stricts faits. Il faut dire que la présence de chiffres m'a rendu la tâche aisée.

Je m'assois sur le parquet, le dos contre le canapé. Mon pied heurte un livre. Sur la couverture, le regard glacé de Talleyrand. Je l'ouvre à la page des exergues. Je lis : *Dieu (ou le diable) est dans les détails.* Je me demande quel choix aurait été le sien en 1940, Vichy ou Londres ? De celui qui a le sang d'un Bourbon sur les mains, je ne connais pas les limites. Pas plus que je ne connais les miennes. Il est indéniable que l'absence de limites est ce qui me fait du tort. Toujours plus de calculs. Toujours plus de dates. Toujours plus de chiffres. Toujours plus de musique. Toujours plus de cauchemars. Toujours plus de nuits blanches. Il est 4 h 12, le matin approche et je me dis que les morts seront bientôt derrière moi. Il m'arrive d'émettre des pensées naïves par excès d'espérance. Je hais mes faiblesses ; mais je ferme les yeux.

*

J'ai décidé il y a peu que je m'autoriserais tout. Qui un jour n'a pas joui d'apprendre que 6 000 000 de Juifs avaient été exterminés en l'espace de 6 ans ? Précisons le terme *jouir* : d'horreur, d'abomination, de surprise, de tristesse, de colère, de peur, de dégoût — une certaine passion, nous pourrions dire. Le nombre 6 000 000 ne rentre nulle part dans un raisonnement humain capable d'émotion. Ce nombre reste au seuil : il est inacceptable. En définitive, nous avons trois possibilités : oublier ce nombre, modifier ce nombre, nier ce nombre. Par ailleurs, je pourrais lui ajouter le chiffre 8, en référence aux 8 autres millions de non-Juifs exterminés dans les territoires d'Europe entre 1933 et 1945. Mais voilà, je ne vais pas le faire. Pourquoi donc ? Parce qu'au nombre 6 000 000 est liée mon histoire, c'est-à-dire celle de mes ancêtres. Le nombre 6 000 000 l'emporte sur le nombre 8 000 000 : c'est une question d'affectation. Quand bien même je le refuserais, je demeurerais affectée à 6 000 000 jusqu'à la fin de mes jours. Je n'ai pas dit que je ne pourrai pas en sortir : c'est une des raisons pour lesquelles je ne me suis pas encore pendue. J'ai dit que j'y demeurerai affectée. J'avoue péniblement que le chiffre 8, contrairement au chiffre 6, diaboliquement connoté, aurait peut-être été plus simple — le sauriez-vous si je mentais ? — mais allez sur Internet, ouvrez un manuel d'histoire, vous trouverez 6 000 000 de Juifs, et le chiffre 6 ne peut pas être négligé.

*

En vérité, quand je n'arrive pas à dormir, je vais sur Google Images et je consulte des photographies en noir et blanc de vieilles équipes de baseball. Je passe en revue chaque visage en pensant : *il est mort.* Il suffit de taper dans la recherche « vintage baseball team ». C'est alors que je comprends que mon destin est fait depuis toujours. Il me faut effectuer cette recherche pour me souvenir que je vais mourir un jour — je tends à oublier ce détail. C'est ce que je fais maintenant. Je tape « vintage baseball team », j'appuye sur *entrée* : et instantanément je les vois. Ils sont tous splendides. Distingués ; orgueilleux ; éternels : inoubliables.

Si je veux aller jusqu'au bout, je dois renoncer à toute forme de morale. Pas plus de morale que d'humanisme, c'est une phrase que je vous conseille d'admettre. Pour moi, je crois aux chiffres : il faut bien croire à quelque chose (ce n'est pas comme si nous avions le choix). Oui, je les ai traités de *rats*. Comment ai-je pu ? Je pourrais en pleurer mais j'en suis incapable car je n'éprouve aucune tristesse, sinon du dégoût. C'est la honte qui pourrait me faire vomir quand je pense à ces morts sales et humiliantes mais curieusement je n'ai pas honte, il s'agit plutôt d'une irrépressible angoisse, et heureusement les additions sont là pour me détendre, et aussi mes équipes de baseball, ou si j'en ai la force, une petite partie d'échecs avec moi-même. Je me suis dit que je peux aller visiter un abattoir, ce n'est pas la peine de me rendre à Auschwitz. Il est 4 h 32 maintenant et je n'ai même pas faim. Je pourrais appeler un ami, lui proposer de prendre un verre. Mais pour qui dort mal, le sommeil est précieux : j'ai peur de réveiller les gens. J'ai d'autant plus peur de les réveiller le dimanche. J'écoute une dernière fois *One more time*. Cette nuit, je ne m'en lasse pas. Et puis je le dis entre nous : la mort et l'amour sont les deux mots qui me préoccupent le plus au monde.

2

Le souvenir de la journée d'hier vient me visiter dans la nuit. C'était le matin : hier matin. Nous étions samedi, le jour le plus extraordinaire de la semaine. J'ignore combien de temps je suis restée devant la vitrine du magasin Louis Vuitton sur les Champs-Élysées. Les mannequins en résine étincelaient de mille feux : leur propreté m'a séduite. Je me souviens avoir eu une pensée pour l'employé qui a probablement lustré ces mannequins à l'aide d'une lingette désinfectante ôtant de toute surface jusqu'à 99,9 % des bactéries — encore une prouesse de l'homme devant laquelle je m'incline, même si ce chiffre n'atteint pas 100 %. Des haut-parleurs diffusaient une mélodie aérienne et harmonieuse qui ressemblait à la *6ᵉ Symphonie* de Mahler, si bien que j'ai cru un instant être dans un rêve. Ce n'était pas du Mahler. Au centre de la vitrine, entre deux mannequins, il y avait un écran de télévision : j'y ai vu défiler des nuages sous un crépuscule orange et rose, comme si je regardais par le hublot d'un avion. Je ne saurais dire pourquoi mais je dois avouer que j'ai été transportée par ces images. C'était une vidéo du ciel de Paris et, peu à peu, la caméra descendait, on voyait des toits en zinc, une montgolfière blanc et rouge à l'horizon. C'était romantique. Je crois me souvenir que j'ai pensé : « Je ne veux pas repartir, je veux entrer dans ce monde. Je veux entrer dans l'univers de Louis Vuitton, vivre sous son ciel orange et rose. » L'installation m'a émue, j'ai ressenti quelque chose comme une émotion, ce qui m'arrive de moins en moins : il m'est devenu très difficile de ressentir une émotion, c'est pourquoi je reste ouverte à toutes les possibilités.

Quand je suis entrée dans le drugstore Publicis pour acheter une canette de Pepsi, je pensais toujours à Louis Vuitton et à son ciel orange et rose. Je lui ai volé son ciel ou c'est lui qui m'a volé mon imaginaire, cela n'a pas d'importance — je peux dire désormais que j'ai un nouveau ciel. De l'orange, du rose, une montgolfière blanc et rouge, les toits, le Louvre, l'insouciance et la douceur. Le chiffre 6 000 000 était loin. Dans ce ciel orange, il n'y avait aucun chiffre. Pas de foule, la place de la Concorde était vide, il n'y avait que du ciel à perte de vue, un ciel d'une parfaite pureté : aucun être humain, voilà ce qui m'a plu. J'étais dans le Publicis quand je me suis souvenue que j'avais oublié mes écouteurs. Je suis sortie du Publicis avec une canette de Pepsi à la main en écoutant les sons de la ville. Le ciel était gris. Paris est en train d'effacer le soleil, j'ai remarqué qu'il y avait bien plus de rayons jaunes dans mon enfance, il y a environ 10 ans. Je pourrais perdre du temps à le prouver, mais ce n'est pas la peine, car il est évident que tout doit finir. Je ne reviendrai pas sur cette loi que j'ai acceptée depuis plusieurs années (pas depuis toujours). La météorologie de la capitale ne m'effraye pas réellement, tout cela est calculé ; nous déclinons.

J'ai marché sans faire de pause. Je voulais éviter de m'asseoir et de penser à l'avenir. Aux gens, à mes études, au manque d'amour, à cette vie qu'il ne faut pas que je rate. J'ai effectivement peur de rater ma vie. Je me dis sans cesse qu'il faut que je me surpasse : que j'accomplisse quelque chose de beaucoup plus grand que moi. Plus précisément, je pense en ces termes : *il faut aller jusqu'au bout.* J'ignore d'où vient *il faut*, cela ne m'intéresse pas. C'est un désir qui n'a probablement aucun sens. Personne ne va jusqu'au bout, je l'ai déjà dit, tout cela est calculé.

Je ne dois pas être en droit d'avoir peur ou de me poser des questions sur la cause. Je dois seulement penser qu'il faut que je réussisse, peu importe s'il s'agit d'une illusion. J'aimerais qu'on me laisse m'il-lusionner sur ma vie et sur le monde, au moins quelques années encore. Réussir, du latin *exire* : sortir. Je veux sortir et ne plus jamais rentrer chez moi. J'ai continué à marcher sur les Champs-Élysées au milieu des touristes et des supporters du Paris-Saint-Germain. Une Ferrari est passée devant mes yeux, c'était une Modena 360 de couleur rouge. Le feu était vert, j'ai couru. Le rouge m'a rappelé quelque chose, j'ai mis plusieurs secondes à savoir quoi exactement, puis j'ai pensé au jeu vidéo *GTA Vice City* sur la Playstation 2 : je me suis souvenue y avoir conduit un nombre incalculable de Ferrari rouges, de Lamborghini orange, de Hummer jaunes. J'avais encore soif, j'ai eu peur. Je ne savais plus vraiment où j'étais. Le rouge de la Modena a envahi entièrement ma mémoire jusqu'à me prendre mes repères. *Je suis où ?* j'ai pensé. *Je suis en face du magasin Cartier.* Il m'a fallu un temps pour comprendre cette phrase. Je voyais rouge. Je crois que j'ai entendu *Billie Jean* de Michael Jackson, mais à l'envers. Ce n'était pas dans la rue, c'était dans ma tête. Dans *GTA*, un programmeur avait configuré le démarrage de *Billie Jean* dès qu'on entrait dans une voiture. J'ai conduit beaucoup de voitures dans ce jeu vidéo. J'ai beaucoup entendu *Billie Jean*. J'étais devant l'Arc de triomphe ; ma canette était vide. Alors j'ai eu un désir. J'ai vraiment voulu quelque chose, mais quoi ? Impossible de me rappeler.

*

J'ai dit que j'ai entre 20 et 25 ans. Je ne dirai pas mon âge exact car cet âge aura changé au moment où je relirai cette phrase. Les âges mentent. Je ne crois pas aux âges, je n'y croirai jamais. C'est là peut-être un tort. Non pas que les chiffres mentent, mais les âges, parce que la peau vieillit de manière constante et ininterrompue : les pores se dilatent en temps réel. J'ai fini par intégrer cette loi. Je pourrais compter mes pores dilatés chaque matin ; c'est une opération dont je serais parfaitement capable. Mais j'ai décidé qu'il devait y avoir une limite à mon obsession — j'ai donc décidé de ne pas compter mes pores. De ne pas apprendre ce chiffre par cœur. De ne pas me réveiller chaque matin dans l'attente de pouvoir constater que ce chiffre est allé en augmentant durant les dernières 24 heures. Les limites sont fondamentales en cela qu'elles fondent la vie d'un être. En ce qui me concerne, mes excès sont tout de même encadrés par une certaine discipline mentale. Le refus de calculer le nombre de mes pores dilatés en est une (il y en a quelques autres).

Alma, reviens

Les supermarchés font partie des lieux importants de mon enfance. Je finissais toujours par m'enfuir et par me perdre dans les allées. J'entendais : « Dorothéa, reviens ! » Aujourd'hui encore, je change régulièrement de marque de céréales. Le jouet caché à l'intérieur ne m'intéresse pas, il ne m'a jamais intéressée : je suis entièrement concentrée sur les variations de couleurs. À chaque semaine son nouveau paquet. Nestlé ou Kellogg's ? Tout dépend des efforts que l'un ou l'autre a fait pour attirer mon attention. Quand j'entre dans un supermarché, je pense toujours : *ils l'ont fait.* Ils ont produit des calculs et ils ont tenu bon. *Ils sont allés jusqu'au bout.* Je rêve d'un supermarché qui ne ferme pas. Nous sommes en retard sur ce plan, les États-Unis ayant déjà fait de ce rêve une réalité. Mais ce n'est qu'une question de temps. Je pourrai bientôt entrer à 3 h 30 dans le supermarché de la rue d'Hauteville pour acheter une boîte de Kellogg's et une bouteille de Coca-Cola en écoutant Daft Punk. La perfection de cette phrase me touche : elle est d'une certaine radicalité. J'aimerais pleurer des larmes de Coca-Cola, ainsi je pourrais les boire. Il fait nuit. Je viens de sortir de chez moi parce que j'y étouffais de solitude.

*

Maintenant je suis rue d'Hauteville, en bas de mon immeuble. Nous sommes dimanche matin, il est environ 4 h 45 et j'ai eu une absence de quelques secondes où je me suis remémorée la journée de samedi.

Je m'appelle Alma. Mes cheveux sont châtains, reflets dorés sous le soleil. J'ai l'iris sombre, couleur brou de noix, tirant jusqu'au vert anglais dans les beaux jours. Ma peau est claire, mes yeux sont en amande, je porte un jean American Apparel bleu comme un ciel de mai ainsi qu'un tee-shirt blanc dont j'ignore l'âge et la provenance (de cette caté-

33

gorie de vêtements que l'on tient généralement secrets, que je pourrais qualifier de *vêtements d'intérieur*) ; je garde le meilleur pour la fin et pour ma veste de chasse, sombre comme mes yeux — elle sent lointainement le goudron. Je la portais le jour de l'enterrement de mon chien, elle m'est depuis lors demeurée légendaire.

Je ferme un instant les paupières. Je sais que je suis à Paris rien qu'en humant l'odeur du vent : le vent de Paris a une odeur singulière, tout comme le vent de chaque ville. L'odeur du vent varie en fonction de la position géographique : le vent du Nord n'a pas la même odeur que le vent du Sud.

Je crois en effet qu'il est 4 h 45, je ne saurais dire l'heure exacte — j'ai enlevé ma montre avant de sortir — mais je sais que je vais bientôt quitter cette rue, pour aller où ? Je l'ai décidé maintenant et pour moi c'est ce qui compte. Je pense que je veux tout, tout au point que je ne veux rien. Qui d'autre pense comme moi ? Je voudrais tous les interroger, tous les humains du monde, et puis les animaux. Nous devrions pouvoir interroger les chiens, les chats et les chevaux : ces trois espèces, cela serait suffisant. Je me suis dit que j'irais peut-être voir une course de chevaux demain matin (je voulais dire : tout à l'heure). Le Grand Steeple-Chase est un événement que je ne raterais pour rien au monde et il a lieu aujourd'hui.

L'univers de l'hippodrome, je le connais. J'ai vécu en face de l'hippodrome d'Auteuil quand j'étais enfant, il n'y a pas si longtemps de cela. J'ai donc rarement manqué le Grand Steeple-Chase : tout ce qu'il me fallait, c'était une paire de jumelles. Je pense que je peux aller à pied jusqu'à l'hippodrome. Si je pars dès maintenant, je serai probablement à Auteuil dans 1 heure, à condition que je marche vite, peut-être 2 heures, peut-être 3 si je marche très lentement. L'avantage d'y aller très lentement étant que j'arriverai lorsque le soleil sera déjà levé : je pourrai jouir d'un petit éclat de soleil sur l'hippodrome et il y aura suffisamment de lumière pour voir le champ de courses vide. Je ne porterai pas de chapeau et je pourrai toujours écouter Daft Punk pour oublier que je suis mal vêtue : mes écouteurs sont dans la poche droite de mon jean.

Sinon je peux rester ici, rue d'Hauteville, et construire mentalement un hippodrome virtuel avec les plus beaux chevaux et l'herbe la plus verte et la plus soyeuse : je pourrais imaginer la course de steeple-chase, la reproduire dans ma tête. J'ai vu beaucoup de chevaux dans mon enfance : des pur-sang anglais, des anglo-arabes, déclinés en d'innombrables couleurs de robe, alezan, noire, baie, etc. Modéliser des pur-sang anglais à robe alezan et des anglo-arabes à robe baie, cela est donc tout à fait possible pour mon imagination, la seule condition étant que je devrais redoubler de concentration pour suivre la course : les courses imaginaires sont plus difficiles à suivre pour le cerveau, car il peine à mettre en scène les mouvements continus. Que pensez-vous d'ajouter un terrain de baseball dans un grand espace désert et verdoyant à côté du champ de courses? Je me dis que j'aime le baseball : pourquoi m'en priver. Un match de baseball se déroulant au même moment que la course. Battes, gants, joueurs, jockeys, écrans, home-run, steeple-chase.

Je vais ajouter le baseball

Tout ce que je viens de dire a pour unique fonction de me faire oublier l'instant que je suis en train de vivre. Il fait nuit, je marche rue d'Hauteville avec pour seuls compagnons des morts. Je suis entourée de quelques SS, de quelques joueurs de baseball, nous enjambons des corps nus entassés les uns sur les autres, l'odeur écœurante de soufre et de mort des cheminées d'Auschwitz nous prend à la gorge. Je n'arrive jamais à être seule : je suis donc seule au monde.

Les morts me suivent. Je ne sais pas d'où ils viennent ni ce qu'ils veulent. Ils surgissent à n'importe quel moment du jour ou de la nuit. Voyez, ils sont là maintenant. Ils se mettent à côté de moi quand je regarde la télévision, quand je joue à un jeu vidéo ou quand je tourne les pages d'un livre; ils sont à mon chevet quand je m'endors; ils sont dans mes courses de chevaux et dans mes matchs de baseball. Les morts ne s'assoient pas, ils restent debout à observer les défaites et les victoires.

Les morts envahissent mes pensées, mes visions et mes rêves : je ne sais pas comment les supprimer. En vérité, j'aimerais leur dire que je les écoute dans l'espoir qu'ils se retournent et qu'ils me laissent en paix, mais j'ignore s'ils peuvent m'entendre. Ils sont mutiques, ils ne sourient pas : ils ne produisent aucune sorte de réaction. Je ne sais pas pourquoi ils viennent, je ne sais pas non plus quelle pourrait être leur demande, tout ce que je peux dire, c'est que je les vois en noir et blanc. Il se peut que mon esprit leur ait attribué les visages des joueurs de baseball qui surgissent sur Google Images lorsque je tape dans la recherche : « vintage baseball team ». Il se peut aussi que des visages sur des photos d'identité de Juifs morts dans les camps me soient restées en tête depuis que j'en ai vu plusieurs centaines, sur Internet aussi — divers sites de commémoration des disparus de la Shoah. Je n'ai pas une fascination pour les visages de morts : parlons plutôt de sensibilité. Et je ne vois pas ce que cela pourrait avoir de gênant ; c'est sans doute même quelque chose de *sain* — inversons : ce sont les autres qui sont gênés, qui ont peur de regarder les visages de morts, ce sont eux qui sont malsains parce qu'ils ont peur de ces visages qui leur rappellent qu'eux n'ont pas encore traversé la rive (je veux parler de la rive de la mort). Ils ont peur de ce qui n'est plus de leur monde et je les comprends. Il y a de quoi avoir peur : de quoi gémir.

*

Pourquoi faut-il mourir ? Telle est l'éternelle question. Je n'entrerai pas dans ce piège car déjà nous savons que personne n'est en mesure de nous répondre. Devant « pourquoi faut-il mourir ? », toutes les réponses et tous les discours produisent le même effet : ils fondent comme des mouches. Mais je peux contourner ce piège par un simple énoncé que je vais répéter autant de fois qu'il convient — jusqu'à ce que ma haine du verbe « mourir » s'évapore et qu'il ne demeure plus la moindre espèce de trouble à son endroit : je vais répéter que le temps est une illusion.

Je ne suis d'ailleurs même pas obligée de trouver une réponse, aussi pitoyable soit-elle, à « pourquoi faut-il mourir ? » parce que j'ai mes matchs de baseball. Et mes matchs de baseball, et mes courses de steeple-chase, imaginaires et éternels comme ils le sont, n'ont qu'à cracher sur *mourir*. Mon imagination est un château fort ; j'y suis toute-puissante, personne n'est dans la capacité de me faire du tort. Et puis je fais ce que je veux avec le temps : je reviens en arrière, j'appuie sur pause, j'accélère quand bon me semble, comme si à l'intérieur j'étais indestructible. Il est vrai que les morts sont là mais ils ne sont pas menaçants. Ils ne m'ont jamais dit quoi que ce soit, et surtout pas que je devrais les rejoindre : ils ne font que me regarder.

La nuit dernière j'ai écouté du jazz pendant au moins 6 heures. Je ne pouvais pas dormir. Je ne supportais plus Daft Punk ni Mahler ni Glenn Gould mais j'avais peur du silence. Je n'ai jamais été capable de lire entièrement la *Critique de la raison pure*, il n'en reste pas moins mon livre de chevet. J'aurais peut-être dû commencer par dire que mon grand-père est mort avec la *Critique de la raison pure* à côté de lui, c'est un détail qui m'est revenu au moment où je modélisais dans mon imagination le champ de courses et le terrain de baseball devant mon immeuble, au 58 rue d'Hauteville (troisième étage sans ascenseur, petite chambre affreuse et étouffante), tandis que je buvais un Pepsi aux bulles si fines, si fraîchement acidulées — elles ont fleuri dans mon palais comme une pluie soudaine dans un paysage de campagne, ou plutôt un paysage de forêt.

Il m'est arrivé de boire du Coca-Cola lors de promenades dans la forêt ; celle de Compiègne, celle de Fontainebleau, et aussi sur la plage de Deauville, les pieds nus errant sur un sable tiède et humide, compact : mon labrador courait sur ce sable mouillé par l'eau du ciel et des vagues. Je n'ai jamais autant dormi qu'à Deauville. J'y suis allée une fois : c'était une semaine avant mon douzième anniversaire. Je me souviens qu'il pleuvait continuellement et qu'il faisait froid, je n'avais nulle part où aller, je n'étais attendue que par mon chien, un labrador couleur terre : Edgar était son nom. Je le sais, je peux retourner à Deauville à tout instant et m'allonger sur le sable si je le veux. *Edgar est mort.* Je ne peux pas y retourner avec Edgar mais je peux y retourner demain matin : il suffit d'aller à la gare et de monter dans un train.

*

39

Pendant que je marche, il faut que je vous raconte. J'ai perdu mon chien et ma maison. Mon beau Edgar est mort, puis mon frère est parti voler de ses propres ailes. Il s'appelle Balthazar mais je l'appelle Bal depuis toujours : Balthazar est simplement trop long. Nous avons grandi ensemble sous le même toit et désormais la Seine nous sépare. Bal a créé sa propre existence dans une petite chambre de la rue Jacob : ainsi nous avons chacun notre propre existence. Nos parents sont partis vivre à Buenos Aires 35 jours après mes 18 ans. Pour les voir nous devons faire 12 heures d'avion, 11 heures lorsque le vent joue en notre faveur. Edgar est mort, je n'ai pas racheté de chien car je veux me souvenir d'Edgar comme du seul chien au monde.

J'ai tenté de verser quelques larmes lors du départ de mes parents et là encore j'ai échoué. Notre maison a éclaté comme les bulles de Pepsi sur ma langue ; elle était comme la seule maison au monde. Edgar était couleur chocolat noir, ses poils luisaient au soleil, c'était un être capable d'émotion. Je lui ai permis un jour de goûter à mon Coca-Cola dans la forêt de Compiègne. Nous avions marché plusieurs heures, nous étions fatigués, nous avions faim et soif. J'ai fait couler quelques gouttes sur sa truffe, il a éternué. Edgar n'aimait pas le Coca-Cola. Où es-tu, Edgar ? Edgar est mort. J'ai marché avec lui sur la plage de Deauville, pendant que mon frère écoutait Daft Punk : ils n'étaient pas encore un mythe.

Edgar léchait mes pieds nus sur la plage ; il attendait que je lui lance sa balle le plus loin possible dans la mer. Il aurait nagé jusqu'à la mort pour cette petite balle de tennis verte et jaune. J'ai perdu Edgar pour toujours, puis j'ai perdu notre maison : l'unité s'est dissoute! Il fait une température singulièrement élevée pour la saison; nous pourrions tout aussi bien être au mois de juin. Je ne suis pas dans la forêt de Compiègne, il est presque 5 heures et j'ai fini mon Pepsi.

Ma console de jeux est cassée. C'est la raison pour laquelle je suis sortie de chez moi. Si ma console de jeux fonctionnait encore, je n'aurais pas eu à fuir, mais je me serais laissée absorber par un jeu vidéo, une course de voitures ou un championnat de baseball. Je n'ai pas sommeil. Je vais longer les Tuileries puis je vais traverser la Seine jusqu'à la rue Jacob. Je veux aller voir mon frère, revenir dans le passé, rejoindre Balthazar — rejoindre le souvenir de mon enfance pour une poignée d'heures.

Les différentes générations de Playstation m'ont aidée à faire fi d'innombrables angoisses : le jour où j'ai achevé de lire le septième et dernier tome de *À la recherche du temps perdu*, je n'ai plus rien lu pendant un an car j'ai pensé qu'aucun livre ne pouvait prendre la suite de la *Recherche*, sinon les *Mémoires d'outre-tombe* et *Lolita*, mais je les avais déjà lus. Alors, ma console a été là pour mon esprit et pour ma solitude : j'ai vécu des moments inoubliables. Ski, tennis, tirs à la kalachnikov, hockey sur glace, sauts en parachute; j'ai été soldat, sportif, meurtrier, innocent, et j'ai gagné des coupes du monde, erré sur des plates-formes immenses, interminables, spécialement créées pour ma console et mon écran : des déserts de sable, des îles tropicales à la faune luxuriante, des paysages de glace, des cités urbaines... Moi, Alma, j'ai parcouru de long en large des terrains de football, de basketball, de rugby, et j'ai connu Tokyo, Palm Beach, Dubaï, le Grand Prix de Monaco, les 24 Heures du Mans... Et dans ces mondes, j'ai vécu.

3

Ça y est, je vois la Seine. En cette douce nuit d'automne, le fleuve est sublime, et mon constat est dépourvu de sentiment personnel : il est objectif. Ce qui ne m'empêche pas d'ajouter que Paris finira par être détruit ; ce paysage, devant mes yeux, est amené à disparaître. La Terre sera bientôt déserte, c'est la pensée qui me vient sur le Pont-Neuf. Mais comme je l'ai dit, le monde et l'univers sont agencés à la perfection : nous allons bientôt trouver une autre planète où perpétuer notre espèce — combien de chercheurs sont actuellement en train d'étudier la question ? Nous avons certainement déjà la réponse. La Terre est condamnée, c'est un fait que personne ne peut nier, il y a par conséquent de quoi verser des larmes, et pourtant : rien. Ce paysage subsistant ne parvient pas à me soutirer la moindre émotion. Je comprends cet instant — je suis sur le Pont-Neuf, au XXIe siècle, il est 5 heures et le soleil finira par se lever — mais j'en suis détachée, comme l'est ma vie entière, si loin de moi, et si peu apte à faire entrer dans mon corps un instant enveloppé d'une simple *émotion*. Or n'est-ce pas ce qu'il y a de plus important ? La science le sait ; mais devant ce mot elle et moi échouons, à la seule différence que j'en suis pourtant capable, j'ai déjà fait l'expérience de l'émotion, de manière pourtant si rare. Je me suis assise sur un des bancs du pont. J'ai regardé la statue d'Henri-IV au loin, que je voyais mal, parce que je suis myope et que je refuse de porter des lunettes, de mettre du verre entre le monde et moi. Je vois donc rarement les objets lointains : je les imagine.

Je pourrais sauter dans la Seine : maintenant. Je pourrais mettre fin à mes jours. Je pourrais m'enfoncer un couteau dans le ventre, je pourrais disparaître. Cependant, j'ai parfois l'impression d'être déjà morte. Jamais je n'ai ressenti la fin de l'humanité comme à cet instant sur le Pont-Neuf. J'aurais tant voulu pleurer ! Des larmes, de vraies larmes humaines, humides, tragiques, généreuses ! Mais rien. Le monde est condamné, et je ne pense qu'à une chose : boire un Pepsi.

Vous, regardez-moi. Nous avons perdu la partie. Nous l'avons perdue par excès de questions et par excès de pensées. Nous avons voulu conquérir tout ce qu'il était possible de conquérir et nous avons échoué. Que dit l'expression : « avoir les yeux plus gros que le ventre » ? Elle dit que par le désir insensé de comprendre, nous sommes allés jusqu'à dévorer les questions. Il ne reste plus rien à interroger. Je crois que je ne connais rien au genre humain ; je ne comprendrai jamais l'humanité, mais je connais le goût du Pepsi, je connais son histoire, je connais ses couleurs : j'ai compris le Pepsi. Peu importe si ce savoir est médiocre. Il est possible que ce soit un petit savoir, mais c'est un savoir quand même, et ce qu'on connaît, il ne faut pas le rejeter. Il est probablement 5 h 15, je m'enfonce dans un raisonnement absurde, je suis pourtant lucide, vous n'imaginez pas à quel point. Cette lucidité me fait probablement du tort. Ma console de jeux apaise ma lucidité, pour cela je l'estime.

Je regarde mes chaussures. Elles sont sales. Je les ai achetées il y a peu de temps mais je n'en ai pas pris soin. J'ai *oublié* mes chaussures. Dans la rue, sur les trottoirs et dans les jardins, j'ai foulé le gravier, j'ai foulé le béton et les dalles sans le moindre ménagement pour ces tennis en toile de couleur blanche, aux semelles abîmées, probablement parsemées d'excréments canins et d'urine humaine en quantité si faible que je ne pourrai pas le déceler. Si je portais mon nez jusqu'à elles, ce que je vais m'épargner, je sentirais l'odeur âpre du caoutchouc chinois, peut-être aussi l'odeur lointaine de la poussière des Tuileries, qui rappelle l'Ancien Régime.

Je me demande si les chambres à gaz avaient une odeur quelque peu semblable à l'odeur des semelles de mes chaussures, mais naturellement, infiniment plus forte. Je pense que cela est possible. Il aurait fallu pouvoir le demander à un Juif ayant fait l'expérience de la chambre à gaz, mais ce Juif est mort. À un SS ? Il semble, d'après ce que j'ai lu, que les SS sont des êtres remarquablement doués pour l'obéissance : il suffit d'un ordre. J'aurais ordonné à un SS de sentir mes tennis, je lui aurais ordonné, sur-le-champ, de me dire si l'odeur de mes chaussures avait un quelconque lien avec l'odeur caractéristique d'une chambre à gaz après le *travail accompli*, vous pouvez être certains que j'aurais obtenu une réponse positive ou négative, et une réponse détaillée.

J'éprouve un léger haut-le-cœur ; il faut purifier son cerveau des horreurs qui le parsèment, comme des traces d'excréments sous les semelles de ses chaussures. Je dois éliminer ce qui obstrue mes émotions. *Il faudrait que je pleure.* Cela fait si longtemps. Il le faudrait. J'étais au Drugstore des Champs-Élysées hier matin et je n'ai pas réussi. J'aurais aimé pleurer devant le bar, ou devant les livres, ou devant le rayon frais, mais je ne pensais qu'à Daft Punk et à mon soda, et aussi je pensais à la mort, je pensais à l'horreur qu'on nous a fait vivre ici-même il y a quelques années, à Paris : les rafles, les trains à bestiaux qui ont contenu des Juifs. Ma canette était froide. J'ai aimé ce Pepsi, il m'a rendu le plus grand des services : il m'a désaltérée.

*

Je veux une vie meilleure, une vie extraordinaire, une vie que ce monde n'est pas en état de m'offrir, et à personne d'entre nous. J'ai compris qu'il fallait inventer, toujours inventer, mobiliser ses capacités intellectuelles jour et nuit : ne pas réinventer le monde c'est mourir. J'aurais souhaité que notre continent se relève, j'aurais voulu que les forces alliées gagnent la guerre en 1945. Mais je le dis : c'est une illusion. Nous n'avons pas gagné la guerre en 1945. Nous avons perdu la guerre, et avec elle nous avons perdu le contrôle de l'humanité, et peut-être qu'à cause de cette défaite mes larmes ne couleront plus.

J'ai pleuré une seule fois dans ma vie, je n'avais probablement pas vécu plus de 7 printemps. J'ai pleuré quand ma mère m'a arraché par surprise un pansement que je portais au bras. Je gardais ce pansement depuis des jours, je refusais de l'enlever, mais ma mère est arrivée derrière moi et l'a arraché violemment. C'était inattendu, j'ai hurlé de douleur et de grosses larmes tièdes et salées ont coulé de mes yeux en amande. Je revois cet instant, l'appartement de Buenos Aires, la chambre de ma grand-mère ; j'étais en train de contempler les aquarelles du *Petit Prince* de Saint-Exupéry, le livre ouvert entre les bras, les genoux nus. En la macérant d'une larme, j'ai assombri pour toujours la planète du Petit Prince : sa chaude couleur parme a mué en un fade gris de lin.

Nous avons perdu le sens du mot *humanité* ; et je ne sais jamais vraiment où je suis. J'ai l'impression que le monde où je vis n'est pas un monde : un peu comme si l'heure était constamment falsifiée. Peut-être que le mot *humanité* n'a jamais rien voulu dire. Il me semble que lorsqu'il fait nuit, il ne fait jamais nuit, que lorsqu'il fait jour, il ne fait jamais jour. Je le redis, nous avons en vérité perdu la guerre en 1945 et peut-être est-ce la raison pour laquelle je ne sais jamais si je suis ou non dans un jeu vidéo : je crois que je voudrais être dans un jeu vidéo, car dans un jeu vidéo tout est possible, tout est ouvert, tout est programmable. Programmer un rêve ; en faire une vie. C'est ce que je veux.

*

J'ai regardé le ciel. Il échouait à l'absolue noirceur, mais sa teinte, clair-obscur, était voilée d'un bleu de Prusse ; il y avait un trou à l'horizon, plus pâle que le bleu-noir, et les nuages faisaient comme des couteaux, longeaient l'éther, l'entravaient, le ciselaient, lui donnaient une naissance, mais pour l'abolir aussitôt — je n'arrivais pas à savoir si le ciel avait l'emprise sur les nuages ou si les nuages tenaient le gouvernail du ciel — et, encerclé par ces couteaux, était ce trou couleur cobalt, c'était un second monde au-dessus de nous. Peut-être devrais-je dire une seconde vie car j'ai eu un moment l'illusion en contemplant ce paysage qu'il était possible dans ses entrailles de tout recommencer. Un tel spectacle pourrait me faire croire que la terre et le ciel sont séparés l'un de l'autre ; qu'il y a la Terre et puis qu'il y a le ciel. Faux : le ciel est de ce monde. J'ai décidé de rejeter le mensonge de l'existence divine pour toujours. Le ciel est de ce monde, je le dis à nouveau, nous, êtres humains, sommes seuls avec nous-mêmes, c'est un fait que j'ai fini par accepter, et que j'ai même pu débarrasser de toute teneur tragique.

Et puis, les questions m'ennuient. L'absence des réponses en est probablement la cause. Je ne me pose généralement aucune question : je veux en savoir le moins possible. Je marcherai jusqu'à la rue Jacob, et mon cerveau ne sera entravé par aucun raisonnement qui serait susceptible de rencontrer une interrogation. Si l'on veut faire bien les choses, il est nécessaire à un moment de sa vie d'abandonner la cause.

Les enfants aiment dire : *pourquoi?* et il serait malhonnête de vous cacher que ce mot m'a horriblement fait souffrir. Pour dire *pourquoi* il faut être humble. Je ne suis pas humble. Je suis incapable de la plus infime humilité. J'ai banni le mot « pourquoi » de mon existence une bonne fois pour toutes car la souffrance, comme les autres sentiments, doit être diffusée en quantité raisonnable dans les corps. La souffrance doit être modérée, pas spectaculaire, sinon nous gâchons tout. J'ai enseveli « pourquoi » car cela m'était trop de souffrance, et trop de souffrance, comme trop d'émotion, fait perdre du temps. Je n'ai aucun temps à perdre (si ce n'est que je l'ai déjà entièrement et irrémédiablement perdu) car ce monde est fulgurant et je dois être à hauteur de cet adjectif si je veux pouvoir vivre. Vivre, je le veux : ce n'est pas de l'ordre du désir. Nous devons accomplir notre devoir. Nous sommes nés, par conséquent nous devons vivre. Je n'irai jamais plus loin dans ce raisonnement. Je vous ai déjà dit que je refusais les questions, je me contente de suivre le cours des choses : rien d'autre que le cours des choses ne me concerne. Soit, il m'arrive de revenir en arrière. De succomber au *pourquoi*. Mais cela m'arrive peu : je tâche d'obéir à l'événement. Les phrases arrivent dans notre pensée, nous ne décidons pas de leur forme, et la pensée, après tout, est une mystérieuse enclave. J'ai fait le choix de faire confiance à ma pensée, comme je fais confiance à ma mémoire, aussi détraquée soit-elle, car je n'ai rien d'autre, et c'est un argument assez fort pour que je me laisse guider.

J'attends de voir ce qui arrive, voilà ce que je voulais dire par : « j'obéis à l'événement ». Je suis disponible à l'état actuel des choses. *Pourquoi*, je n'éprouve aucune nécessité de le savoir. Je veux être là quand ces choses arrivent. Je veux pouvoir tenir ma canette de Pepsi, en laissant ma mémoire faire advenir des années de publicité dans mon cerveau, sans me demander *pourquoi*. J'ai l'étrange impression que cette nuit ne va jamais finir.

*

Je ne pense pas à l'heure, cela n'est plus important. J'ai atteint un point dans la nuit où l'heure et le lieu ont été écartés de toute signification concrète et valable. Cela me fait penser au mois de décembre 1941 : le mois où l'humanité a perdu toute signification concrète et valable. Le mois de décembre 1941 a été un moment important de l'Histoire : c'est le mois où a été mis en marche le plan d'extermination intégrale des Juifs d'Europe, auquel devait être soumise la vie de mon grand-père. En décembre 1941, Himmler et Hitler ont décidé que mon grand-père devait disparaître. Le verbe *disparaître* est sinueux. Le verbe allemand pour disparaître est : *aussterben. Sterben* est clair, cela veut dire mourir. Mais *aus* est plus complexe : *disparaître* n'est pas nécessairement mourir. En ce qui me concerne, j'ai souvent pensé que disparaître était une chance. Dans un monde où la carte précède le territoire, disparaître de la carte c'est s'abandonner à quelque chose comme une aventure. Parfois je voudrais connaître l'aventure : oui parfois je voudrais bien disparaître. Décembre 1941 n'est autre que la mise en œuvre du programme de disparition d'une race dans son intégralité. Ce que je veux d'abord savoir c'est si Hitler, Heydrich, Himmler et Eichmann ont pensé le verbe *aussterben* ne serait-ce qu'un instant, je veux savoir si Hitler, Heydrich, Himmler et Eichmann étaient conscients des sens multiples que recouvrait le verbe allemand *aussterben*, savoir s'ils connaissaient son équivalent français *disparaître*. Car pour qui met en place la solution finale, autrement dit, le disparaître d'un peuple dans son intégralité, il est bon qu'il sache ce que le mot *disparaître* signifie. Hitler a échoué. Heydrich a échoué. Himmler a échoué. Eichmann a échoué. La disparition n'a pas été intégrale, preuve en est que je suis moi-même sur le Pont-Neuf en train de formuler cette phrase. Or ce qui ne disparaît pas intégralement ne peut pas disparaître du tout. La disparition ne peut pas être partielle : c'est une erreur. Et cet aveu est un immense problème pour certains individus. À savoir que si Hitler, Heydrich, Himmler et Eichmann n'ont pas réussi à faire disparaître tous les Juifs d'Europe, cela revient à affirmer qu'il n'ont fait disparaître aucun Juif. Il est extrêmement tard dans la nuit et cet argument m'étonne, et pourtant je ne peux que confirmer son évidence. Hitler, Heydrich, Himmler et Eichmann ont échoué à 100 %, ce qui est matière à les faire se retourner dans leur tombe — où qu'ils se trouvent, même s'ils ne sont que poussière, même s'ils n'ont jamais eu de tombe. Et si mon raisonnement est valable pour les Juifs, je dois admettre à contrecœur qu'il est aussi valable pour les nazis. Les nazis n'ont pas entièrement disparu ; ce qui revient à dire qu'aucun n'a disparu.

Hitler, Heydrich, Himmler et Eichmann sont encore parmi nous, le poison et la pendaison n'y feront rien. Je pourrais tout aussi bien dire : nous sommes encore au mois de décembre 1941 et une partie de l'Europe s'apprête à être partiellement détruite. Je vous ai dit tout à l'heure que la vérité n'était pas une histoire de faits, mais il est un fait que le temps n'est pas non plus une histoire d'horloges. Encore moins à mon époque où je ne parviens jamais à me rappeler quel jour nous sommes. Je n'ai pas attendu de lire les *Mémoires d'outre-tombe* ou *À la recherche du temps perdu* pour comprendre ce phéno-mène. Les glissements perpétuels de ma mémoire ont suffi à me surprendre, à me faire voir que le temps revient sans cesse, au point que ne sais pas qui je suis, ce qui est probablement une chance car j'aurais eu du mal à croire à ce qu'on nomme l'*identité*. Mais quand le temps revient, il revient avec la même quantité de vie et de mort. Face à ces difficultés, il n'y a rien que je puisse faire.

Je n'ai que l'événement. Et devant l'événement il n'y a plus qu'à être là. J'aime être là : ne rien dire. Laisser mes pensées et mon corps admettre que Hitler, Heydrich, Himmler et Eichmann ne disparaîtront pas. Que les Juifs ne disparaîtront jamais. Que la canette que je tiens dans ma main est bleu et rouge, qu'elle me rappelle des sensations visuelles liées à la télévision. J'ai tout accepté, et je tiens à ajouter que je n'ai jamais vu la mort d'une façon négative ou comme une punition. La mort, c'est ce que nous sommes. Elle est dans le paysage ; dans le ciel extravagant qui me surplombe et me semble s'éclaircir de plus en plus, mais il se peut que mon désir d'aurore corrompe ma perception. La mort est dans la canette que je viens de finir ; elle est partout dans ma mémoire, passée, présente, à venir. Je vais aller jusqu'à la rue Jacob et je vais prendre mon frère dans mes bras. Peut-être qu'il y aura du Coca-Cola dans sa cuisine. Je lui dirai que j'ai soif. Je lui proposerai de jouer à un jeu vidéo sur sa console, avant d'attendre que le café en bas de la rue ouvre ses portes et qu'on se jette sur leurs tartines ou leurs croissants. Je n'ai pas encore faim, mais à 7 heures j'aurai une faim très grande. Il y a certaines choses qu'il est possible de prévoir, la faim fait partie de ces choses, à moins qu'une nausée d'angoisse vienne entraver mon fonctionnement cérébral. Car la demande ne provient pas de l'estomac : elle provient du cerveau. La faim est avant tout intellectuelle. Maintenant que j'y pense, un estomac ne crie jamais directement famine. Ce que je dis n'est probablement pas scientifiquement irréprochable, mais longer la rue Guénégaud sans penser à rien me semble être un choix d'une tristesse extrême. Non pas que la rue soit triste, c'est une belle rue, mais une rue sans espoir. Au fond, une rue qui me ressemble. J'ai définitivement jeté l'espoir par les fenêtres depuis quelques années, quoique, après réflexion, probablement depuis toujours.

4

Je prends la rue de Seine, le vent qui la traverse a une odeur singulière : elle porte en elle la fraîcheur d'une mer lointaine, les algues, et peut-être la somme de tous les fragments de corps qui pourrissent au fond du fleuve, prisonniers de la vase. Des cadavres de bêtes, des chats, des chiens, peut-être même des chevaux, et puis bien sûr des cadavres d'hommes.

Je serai bientôt chez Balthazar, nous jouerons à un jeu vidéo. Ceux qui prétendent que la vie est compliquée se trompent : la vie n'est pas compliquée. Il suffit de marcher une demi-heure par jour, de manger un peu, de travailler un peu, de dormir un peu, de boire 1,5 litre de liquide non alcoolisé toutes les 24 heures. Ce qui est compliqué, c'est de vouloir réussir et de ne pas réussir. J'ai dit plus haut que je voulais sortir et ne plus jamais rentrer chez moi. Mais je crois que j'ai menti. J'ai abandonné le verbe *réussir* depuis quelque temps déjà. Parce que, véritablement, je suis arrivée à la conclusion que la vie n'est pas compliquée. Et pour qui pense que la vie n'est pas compliquée, le verbe *réussir* ne suscite plus en lui d'émotion. Le verbe *réussir* ne parvient plus à m'exciter, et sans doute que cela est nouveau — et a sa part d'horreur. Je vais bientôt voir Bal, on jouera sur sa console, puis on se goinfrera de croissants au beurre dans un bistrot quelconque tandis que le jour achèvera de se lever. J'essayerai de me remémorer quelques phrases de Hume sur la causalité pendant que Bal consultera une nouvelle salve d'e-mails sur sa tablette. On se dira au revoir simplement, il y aura une forme d'insouciance, une pudeur que seuls connaissent les êtres du même sang et qui ont partagé leur enfance, leurs lits superposés, leurs jouets, leurs paris, leurs bains.

J'aimerais répéter que je n'ai pas peur de mourir, mais là n'est littéralement pas la question. La question est : que faire si Balthazar ne m'ouvre pas ? Je pense : il est peut-être tout juste rentré d'une soirée, il n'arrive pas à dormir et il regarde la télévision en mangeant des friandises. Un Kubrick ou un documentaire animalier — à 5 heures du matin, tout est satisfaisant. Je me souviens qu'on s'asseyait sur le tapis du salon, une main plongée dans un bol de pop-corn. Je la mettais entièrement mais je n'attrapais jamais qu'un pétale à la fois, tandis que Balthazar agrippait soudain le bol pour le rapprocher de lui en m'accusant du manque de sucre glace. Mon frère a toujours été maigre, il a pourtant longtemps mangé du sucre dans des proportions inquiétantes. Le pop-corn n'était pas dans notre champ de vision, il n'avait absolument aucune existence, il n'était pas là pour accompagner un spectacle ni même combler une faim. Nous étions concentrés sur la télévision ou l'ordinateur : nous regardions des instants surgir du néant. J'ai nagé dans l'univers des écrans, et ça c'est comme vivre une seconde fois. Devant eux, je n'avais plus d'âge. Je ne savais pas ce que je regardais, ce n'étaient pas seulement des images : c'était un instant détaché de tous les autres instants. Ces écrans étaient inépuisables de rose, de rouge vif, de cyan, de blanc immaculé, de jaune, de gris, mais jamais de noir. C'était une mer, non, plus vaste encore, c'était un océan de couleurs renouvelables. Le mercredi, Bal et moi, on se laissait emporter dans le creux des textures et des sons comme dans le creux d'une vague. On était envoûtés : « envoûtés » est le bon terme. Tout recommençait toujours, parce qu'il n'y avait pas de continuité de ces instants, pas de frise, comme si le temps ne faisait plus son travail, du moins pas dans cette pièce, pas dans la télévision, pas dans l'ordinateur, et peut-être que c'est ce temps que j'ai appris. Il se peut que j'aille chez Balthazar maintenant, sans savoir l'heure qu'il est, sans savoir s'il va m'ouvrir, parce que j'ai grandi entourée d'écrans et que tout cela ne revêt pas pour moi le même sens que pour celui qui a appris le temps des horloges : mon rapport au temps n'est qu'un immense chaos.

On pourrait penser que les écrans m'ont détruite mais ce serait une erreur. Les écrans ne m'ont pas détruite, ils m'ont donné un autre rapport au monde, et par le monde je veux dire sans doute un autre rapport au temps, car si on enlève le temps, qu'est-ce que le monde ? Si jamais Bal ne m'ouvre pas, si jamais il ne m'ouvre pas parce qu'il dort, j'attendrai sur son palier, éventuellement je dormirai sur les marches de l'escalier, la tête contre les vieilles barres en fonte. Sa cage d'escalier est toujours froide, comme beaucoup de cages d'escalier. Il y a de la poussière aussi, et des traces de moisissure apparaissent en haut des murs, déjà abîmés par les innombrables éclats d'une peinture vieille de probablement 40 ans ; les fils électriques pendent à côté des portes. Si j'y réfléchis, l'immeuble de Bal est presque insalubre, il est laissé à l'abandon, ce qui me surprend un peu au vu de sa position écono-mico-géographique, mais n'est-ce pas ce que tout le monde recherche : le contraste ? Des choses sales au cœur des choses propres, des choses propres au cœur des choses sales ; des choses laides qui renferment des choses belles, des choses belles qui renferment des choses immondes. Non, il est impossible que Bal ne m'ouvre pas car je frapperai si fort contre sa porte qu'au pire, je le réveillerai de manière désagréable. Cela le mettra sans doute en rogne, et c'est sans importance, car un frère qui ne s'énerve jamais n'est pas vraiment un frère.

*

Je me suis arrêtée devant le numéro 12 de la rue Jacob, la porte était déjà ouverte, si bien que je n'ai pas eu à utiliser l'interphone. Je suis entrée dans le hall, je suis montée directement au troisième étage et, sans même réfléchir, en riant pour oublier mon appréhension, j'ai frappé trois fois sur la porte. J'ai tourné les yeux et à droite il y avait une sonnette. Je n'avais aucun souvenir d'une pareille sonnette sur la porte de Bal, je ne l'avais jamais vue. À croire que des détails aussi importants sont capables de s'autodétruire dans notre mémoire, mais pour quelle raison, je ne suis pas en état de répondre. J'aurais pu appuyer sur cette sonnette, mais ayant déjà frappé avec mon poing sur la porte verte, c'est une chose à laquelle j'ai renoncé car je le sais, frapper puis sonner encore est une attitude déplacée. Je ne suis pas un être aux attitudes déplacées : mon extravagance est intérieure. J'agis avec modération. Je renonce à la sonnette.

Personne ne m'ouvre. J'attends en faisant le vide dans ma tête, un vide total, le vide de l'attente, mais le résultat étant nul mon cerveau se remet à fonctionner, à éclater de toutes parts, alors pour me contenir je commence à compter. D'abord je compte jusqu'à 30, puis le résultat demeurant nul je compte jusqu'à 60, car 60 secondes est égal à 1 minute, et 1 minute, c'est un petit monde. J'ai senti mon visage envahi par la déception, comme si une vague de noirceur venait me recouvrir, me ronger comme un petit rat rongerait un bout de viande. Et voilà que je sonne. J'utilise pour la première fois de ma vie cette sonnette, c'est une vieille sonnette, une sonnette à l'ancienne, c'est une sonnette qui retentit dans le silence de la nuit et de mon abandon. Je compte toujours. Mais peu à peu je n'y crois plus. J'appelle Balthazar plusieurs fois au téléphone, sa boîte vocale se referme continuellement sur mon attente. Je laisse tomber comme on laisse soudain tomber de sa vie une chose longtemps voulue, sans prendre la peine de la réflexion : dans la plus pure indifférence.

I knew it wasn't too important but it made me sad anyway

J'ai dit que je n'ai jamais cherché à comprendre. Et ce genre de situation ne fait que conforter mon choix de ne jamais chercher à comprendre quoi que ce soit de ce monde. Je me suis retrouvée sur le trottoir de la rue Jacob, devant l'immeuble de mon frère, et je me suis demandé si un jour on avait été amis lui et moi, en plus d'être liés par le sang. Cette pensée était idiote, et pourtant elle est venue sérieusement à mon esprit. Toutes mes pensées ne méritent pas d'être ; j'ai mon pourcentage d'atrocité et d'insignifiance ; comme des restes, là-haut, dans la matière grise, dans ce qui constitue mon rapport à tout ce que je vois, à tout ce que je suis, si je suis quelque chose. Vous dire que je suis ceci ou cela, ce serait vous mentir, ce serait vous cracher à la figure : je ne dirai jamais ce que je suis. *One more time* est revenu immédiatement dans mes pensées, et quelques corps nus entassés les uns sur les autres dans une chambre à gaz, comme je l'ai imaginé tout à l'heure. J'ai fait l'erreur d'écouter Daft Punk juste après avoir ancré en moi cette vision, j'espère que les deux ne resteront pas irrémédiablement liés ; à moins que j'essaye de trouver une dimension esthétique à l'assemblage du camp d'Auschwitz et de la musique de Daft Punk : cette pensée est odieuse.

Notre foi en l'avenir est faiblement dosée

Je suis descendue. J'ai fixé longuement l'interphone. Les initiales de mon frère n'étaient pas présentes. BF était introuvable : BF n'existait pas. J'ai pensé que quelqu'un les avait arrachées. J'ai touché l'interphone, j'ai caressé certaines initiales inscrites sur des autocollants, et vite, j'ai gratté pour voir si quelqu'un avait collé par-dessus les initiales de mon frère un nouveau nom ou des nouvelles lettres.

J'ai arraché trois autocollants, et au troisième j'ai découvert les initiales de Bal cachées par un autocollant vierge de toute inscription. J'ai mis l'autocollant blanc dans ma poche et j'ai laissé les initiales de mon frère reprendre leur place. J'ai appuyé sur le petit bouton noir à côté des initiales de Bal pour vérifier à nouveau s'il ne pouvait pas m'ouvrir, au cas où il dormirait et n'aurait entendu ni mes coups sur sa porte, ni la sonnette dont j'ai usé pour la première fois. J'ai attendu 3 fois 60 secondes en comptant les moutons. Rien. J'ai définitivement perdu, comme souvent, du reste : perdre fait partie intégrante de ma vie. J'ai faim à présent et je ne veux pas manger seule. Me vient l'envie d'un donut recouvert de paillettes en sucre ; comme avant.

Tout est possible

Je marche rue Jacob, déterminée, un brin vacillante. J'imagine l'aspect esthétique d'un donut. Une voix intérieure me dit : *il vit à Los Angeles.* Je préférerais mourir de faim que de manger seule. C'est ma voix, elle me parle, elle répète doucement, avec chaleur : *il vit à Los Angeles.* Je crois que je n'ai plus aucune limite parce que je n'ai plus aucun désir véritable, je peux probablement tout traverser parce que je ne veux rien de ce qui m'est proposé ici, sinon à boire et à manger. Mais boire et manger ne susciteront pas en moi d'émotion, et ce que je cherche ce matin, c'est une émotion, aussi petite soit-elle. Je ne sais pas si la recherche d'émotion est un désir ; je ne le crois pas. Je ne désire pas une émotion, je ne fais que la rechercher. Il n'y a pas de lien entre la recherche et le désir, ce raisonnement me paraît acceptable. Il m'est pourtant déjà arrivé d'éprouver une émotion devant des donuts. Je me suis rappelé le frisson que j'ai ressenti la première fois que je suis entrée dans un magasin de la chaîne de restauration américaine *Dunkin Donuts* après avoir acheté une peluche chez *FAO Schwartz* sur la 5ᵉ Avenue de New York. Le carrelage était d'une couleur indéfinissable, peut-être grise, lumineuse malgré l'usure ; une odeur lourde de graisse froide, de café moulu et, derrière le comptoir, exposés, je dirais même, disposés de manière réfléchie comme l'aurait été une installation d'art, des dizaines de donuts bariolés des couleurs les plus folles, les plus puissantes, les plus charismatiques. Rose bonbon, blanc cassé, jaune, vert, rouge, cyan, violet, fluorescents ou obscurs, certains nappés de paillettes multicolores. J'ignore quel était mon âge mais je me souviens que j'ai pensé : *je n'aurai plus jamais à avoir faim.* Je crois que cette abondance m'a émue. Il y a peu de choses que nous pouvons choisir. Ici nous pouvions choisir la couleur, le goût, la quantité. Nous pouvions décider si oui ou non nous voulions des paillettes : je voulais toujours des paillettes. Les donuts étaient disponibles toute la journée, toute la nuit — 24 heures sur 24, 7 jours sur 7 —, je n'avais pas à penser à la mort, je n'avais plus à avoir peur le soir seule dans mon lit parce que pendant que je dormais ce magasin était ouvert, il proposait des donuts — nous n'avons jamais vu un *Dunkin Donuts* en rupture de donuts, cela est logiquement improbable — et cette image et cet instant sont depuis restés gravés dans ma mémoire. Pour cela je tiens à féliciter les créateurs et tous ceux qui ont participé au design et à la mise en œuvre d'une si brillante idée devant laquelle, encore une fois, je m'incline ; jusqu'où est-il possible d'aller est une question que je suis souvent tentée de me poser, mais étant donné qu'il s'agit d'une question je me refrène.

*

Je ne sais pas si j'ai envie d'un donut : si c'est un désir réel ou si c'est une illusion. Je mets mes écouteurs et je m'assois sur le trottoir, contre la vitrine d'un magasin de chaises de la rue Saint-Benoît. Je suis là, dans la paix de l'aurore, bercée par la voix douce et mesurée des robots de Daft Punk. Il y a certainement de l'urine de chien sèche là où je me suis assise, mais après tout, les chiens étant généralement plus dignes que les humains — je dirais : *plus fidèles* —, la possibilité de particules d'urine de chien sur mon jean est une chose que je décide d'accepter. Cependant un frisson me parcourt. Il se pourrait que l'éventuelle trace d'urine soit celle d'un sans-abri ou d'un jeune homme défait, sorti du Montana dans la plus mauvaise posture. Je renonce à peser le pour et le contre, je me lève, tout en pensant que je ne mettrai plus jamais ce jean. Mais je sais que je mens. Je vais le remettre. Il faudra seulement le laver. Je fouille mes poches. Je n'ai pas ma carte de crédit, le mode de paiement le plus agréable du monde. J'ai 11 euros et 30 centimes : un billet, trois pièces. Je crois que je n'ai pas besoin de plus. Probablement parce que nous sommes un dimanche.

Il n'y avait pas de vie donc il n'y avait pas d'émotion

Je remarque que rue Saint-Benoît il n'y a pas d'arbres. Rue Jacob il n'y a pas d'arbres non plus. Cela me fait penser à un documentaire que j'ai vu la semaine dernière sur la déportation d'enfants juifs parisiens dans le camp de Bergen-Belsen. Elle s'appelait Denise Bimbad, je n'oublierai pas son nom ; elle a dit que marcher dans le camp de Bergen-Belsen au milieu des cadavres qui jonchaient le sol, c'était comme passer devant des arbres. Elle a dit : « Il n'y avait pas de vie donc il n'y avait pas d'émotion. » Cela faisait partie du décor. Pour elle, enfant, la vie, c'était le mouvement. Il n'y avait pas de mouvement : il n'y avait pas d'émotion. Moi je pense qu'un arbre a un potentiel d'émotion. Je n'irai pas jusqu'à dire que tout arbre est émouvant, admettons qu'il en a la possibilité. Denise Bimbad n'a pas vu des cadavres, elle a vu des arbres et elle n'a ressenti aucune émotion. Eh bien, c'est parce qu'elle n'a pas vu des arbres. Elle n'a pas non plus vu des cadavres. Denise Bimbad a vu des cadavres imitant des arbres : ce qu'elle a vu, c'est un millier de cadavres imitant une forêt. Je me souviens avec précision que j'ai éteint la télévision, j'ai jeté la télécommande sur le sol et j'ai mangé une glace à l'eau de couleur pourpre demeurée au fond de mon congélateur depuis plusieurs mois. J'ai pensé au sang des morts : à ce que devient le sang dans le corps d'un cadavre. Il sèche. Puis je me suis couchée. J'ai dormi de manière admirable cette nuit-là, longuement et profondément — pour moi, c'est une chose rare — et je crois même que j'ai rêvé d'arbres, possiblement d'une forêt. Il m'arrive de rêver de la forêt de Compiègne ; et souvent Edgar vient me rejoindre dans mes rêves. Il aboie au cœur de la forêt vide, jonchée d'arbres immenses, sans aucune limite géographique, un paysage sans fin, un vrai paysage de rêve. Edgar aboie pour que je lui lance une balle.

*

Je ne sais plus quelle heure il est, j'ai perdu la notion du temps. J'ignore si je reverrai le soleil un jour. Il nous arrive de ne plus rien savoir. Cela nous rappelle que nous n'avons jamais rien su, que nous ne saurons jamais rien — j'emploie la première personne du pluriel, cependant je précise que je parle en mon nom.

Il me semble ce matin que j'ai déjà perdu la partie. Mais si je creuse plus loin encore, il m'apparaîtra alors que j'ai fait l'erreur de croire qu'il s'agissait d'un jeu que je pouvais gagner. Je ne suis pas dans un jeu vidéo. Je ne suis pas dans Mario Kart. Après tout, j'ignore ce que signifie le verbe « mourir », j'en ferai l'expérience tout en étant éjectée, plus précisément, mon corps en fera l'expérience, pas moi. Dans les jeux vidéo, après le *game over*, nous pouvons revenir. En vérité, nous ne perdons jamais, nous sommes dans l'impossibilité de perdre : nous rejouons. Il est possible qu'il en soit de même avec ce monde, néanmoins personne ne peut l'affirmer. Je suis peut-être destinée à revivre éternellement, comme dans un jeu, ce que les gens appellent « la vie » — ou « le monde », au fond c'est la même chose. Revivre éternellement, à d'autres points du temps, de l'espace, dans un autre corps, dans une tout autre configuration ; être destinée à recommencer à vivre. En un mot : être encerclée.

*

Mon grand-père s'appelait Jacob. J'aurais pu dévoiler son prénom dès mon arrivée devant l'immeuble de mon frère, devant l'immeuble de la rue Jacob, mais la coïncidence est tellement forte — le fait que Balthazar habite la seule rue de Paris qui porte le prénom de notre grand-père — qu'il m'a semblé vulgaire de me jeter dessus. J'ai donc tu le rapprochement ; j'ai fait silence sur Jacob, mais je n'en pensais pas moins.

Il m'est pénible d'entrer dans le langage, surtout quand le langage est tourné vers l'extérieur. Il faut faire un choix sur ce que je donne, sur ce que je garde. Il y a des phrases que nous aurions pu garder pour nous. Il y a même des phrases dont nous nous serions passés qu'elles voient le jour dans notre pensée. Des phrases que nous aurions dû pouvoir éliminer simplement, comme de la vermine. Et pour cela je ressens régulièrement le besoin de faire un pas de côté, même si ce besoin échoue avec une régularité constante. Il y a des jours où je me dis que je pourrais m'évanouir dans le silence jusqu'à mon dernier jour. C'est un objectif estimable : il est de l'ordre de l'illusion.

*

67

Je continue ma route. Je sais où je vais. Le métro n'est pas encore ouvert, il y a peut-être un dernier bus de nuit, mais peu m'importe, je ne suis pas vraiment fatiguée, ou alors c'est une fatigue si intense que je ne la ressens plus, elle a mué en un état électrique, comme lorsqu'il fait tellement froid qu'on commence à avoir chaud ; qu'une eau glacée coule sur vos doigts et vous les brûle.

Je me sens bien quand je marche, je crois que je pense mieux, avec un meilleur taux de cohérence : le cerveau est plus fluide. Le mouvement de la marche s'accorde à celui de mes pensées. Elles ont constamment faim, elles me mangent, je pourrais les appeler mes fourmis, mes mouches vertes, mes sangsues, sauf qu'au lieu de mon sang, c'est mon cerveau et mon humeur qu'elles grignotent, peut-être aussi mon innocence et ma croyance en Dieu — elles gâchent tout.

Je pourrais dire que mes pensées fonctionnent comme une montre à mouvement automatique. Il n'y a rien à toucher ; rien à remonter manuellement ; pas de pile à changer ; elles travaillent sans cesse, elles s'auto-alimentent, il leur faut simplement ma respiration, mon être en vie : un mouvement. Je me suis sentie lasse et j'ai interrompu Daft Punk. J'ai rangé mes écouteurs dans la poche de mon jean. J'écoute le silence de Paris. On entend des oiseaux ; il n'y a presque pas de voitures. Je me rapproche de la Seine : je vais la longer vers l'ouest.

II

Adolf Hitler a fait échec et mat sur l'humanité

1

Il arrive que des événements nous déstabilisent. Je ne crois pas aux signes et, pourtant, certains événements devraient me pousser à y croire. Je ne l'ai pas dit, je voulais taire cette rencontre absurde, mais il me semble à présent que je ne peux plus le cacher.

C'était il y a un peu moins de 36 heures. Nous étions vendredi soir, la lune brillait. J'avais rendez-vous pour dîner avec un cousin venu de Buenos Aires. J'étais d'humeur sereine. J'étais dans un bon jour, pleine de lumière et de douceur.

Je l'ai déjà dit, parfois les choses s'effondrent en nous et devant nous : notre vie se bouleverse. La cause n'est pas toujours extraordinaire : elle peut l'être. Tout est question de point de vue, tout est question de recul.

Je suis entrée dans un restaurant de la rue Oberkampf. Alors ma vie a légèrement basculé. Je dis « légèrement » parce que je ne crois pas aux ruptures. Du moins, je ne veux pas y croire.

Quand je suis arrivée, elle était déjà assise. Elle

était blonde comme les blés. Elle avait les yeux brou de noix. Ce n'est pas son visage qui m'a bouleversée : c'est son nom. J'ai embrassé mon cousin, puis mon cousin m'a dit : « Je te présente Martha Eichmann. » Le nom m'a éblouie : il y a des noms qui nous appellent. Le nom *Eichmann*, je l'ai reconnu.

« JE TE PRÉSENTE MARTHA EICHMANN »

Elle ressemblait à son grand-père. Les mêmes traits de renard. La figure allongée, le nez aquilin, une bouche à demi pincée qui retenait ses phrases. J'ai vu un pan de l'Histoire défiler sur un visage. J'ai vu le chiffre 6 000 000. J'ai vu le suicide d'Adolf Hitler. J'ai vu l'échec de Claus von Stauffenberg. J'ai vu la mort. J'ai vu l'abandon. J'ai vu le manque d'amour. Je ne lui ai pas serré la main, je l'ai embrassée sur les deux joues. Je n'ai ressenti aucune forme d'émotion. Pas de nausée. Je n'étais plus dans le monde ; j'étais dans une autre dimension. J'aurais pu en vouloir à mon cousin ; j'aurais pu lui dire : *pourquoi tu nous trahis ?* Mais jamais il ne me serait venu à l'esprit de dire une pareille chose. Si je suis le raisonnement de notre époque, Martha Eichmann et Adolf Eichmann sont deux êtres séparés. Martha n'a rien à voir avec son grand-père : Martha est un individu innocent et libre.

Même visage

Je n'avais pas faim, je me suis forcée. J'ai mangé de la viande rouge. Elle était presque crue. J'ai perdu la notion du temps, j'ai oublié mon nom, j'ai tout oublié. Je peux le dire : pendant l'instant où je mangeais ma viande, pendant ces 10 minutes : ma mémoire s'est éteinte. Je suis sortie du fleuve de l'Histoire. J'étais suspendue dans une réalité sans liens. Je regardais Martha Eichmann manger sa viande, je la regardais mâcher l'animal mort en veillant à lui sourire.

Nous avons parlé de son grand-père. Mon cousin se faisait un plaisir de lui poser des questions. Il a tenu a enrayer tout malaise : ne pas en parler était pire qu'en parler. Nous avons parlé d'Auschwitz.

J'ai dû lui rappeler le nom du camp

Martha Eichmann ne se souvenait plus du nom du camp. J'ai dû lui rappeler le nom du camp : j'ai dû l'aider. Elle cherchait le mot. J'ai dit : « Auschwitz ? » Martha Eichmann a répondu : « C'est ça, Auschwitz. » Elle parlait espagnol comme une fille de la campagne. Il y avait quelque chose de touchant dans ses intonations. Auschwitz ne lui disait rien : Auschwitz ne lui *parlait* pas. Martha était ailleurs.

Il y a des noms lourds à porter. Parfois nous n'avons qu'un seul choix : oublier notre nom. Martha Eichmann et moi avons une chose en commun : nous voulons oublier un pan de ce qui nous précède, à la différence que Martha Eichmann a parfaitement réussi. Vous auriez vu cela dans ses yeux : ils témoignaient du succès de l'oubli. Je n'ai pas pu finir ma viande : Martha Eichmann a pu finir sa viande. Les êtres réagissent différemment à leur passé. Il y a ceux qui réussissent ; il y a ceux qui échouent. Je suis régulièrement submergée par ce qui m'a précédée. Ce soir-là, Martha Eichmann n'était pas submergée par ce qui l'avait précédée. Je peux choisir de croire aux destins. Je peux choisir de ne pas y croire.

Un filet de sang coulait dans mon assiette. J'aurais dû penser aux morts. Je n'ai pas pensé aux morts. La nappe était douce, 100 % coton. Mes mains glissaient sur elle : je cherchais la blancheur. Je regardais Martha Eichmann, puis je regardais ailleurs, puis je regardais à nouveau Martha Eichmann. Je me disais : « Alma, tu n'es pas dans un jeu vidéo. »

Si j'avais vomi ma viande de bœuf, j'aurais vomi du sang de bœuf, mais je n'ai pas vomi. Je me sentais calme, je suis rentrée chez moi. J'étais ivre (non pas ivre d'alcool, ivre d'autre chose, ce n'est pas exprimable). J'ai parlé à mon grand-père dans l'obscurité de ma chambre. Je lui ai dit : « Grand-père, j'ai dîné avec la petite-fille d'Eichmann ! » J'étais enthousiaste ; je dirais même : exaltée. Il ne m'a pas répondu. J'aurais pu insulter son silence ; je n'ai pas insulté son silence. Je me suis couchée et je n'ai pas dormi. Je me suis levée et j'ai enfilé un short. Je suis ressortie. J'ai marché 5 minutes dans la rue déserte. J'ai eu un moment de lassitude ; l'impression qu'il n'y avait nulle part où aller. Je suis remontée dans ma chambre. J'avais soif, mais pas soif de Coca-Cola : j'avais soif de beauté. Ma console ne fonctionnait pas. J'ai voulu lire quelques poèmes de Malcolm Lowry alors j'ai ouvert le livre. Le titre du poème sur lequel je suis tombée était : *Pensées à effacer de mon destin* — vous pouvez choisir de ne pas me croire : les coïncidences font parfois dans la provocation.

*

Il se peut qu'à partir de vendredi soir j'aie commencé à dériver. Ou alors je dérivais depuis des années déjà sans réellement le savoir. Cependant vendredi soir en rentrant dans ma chambre, j'ai pensé : *je dérive.* C'est la première fois qu'une telle pensée m'est venue. Avant, j'étais dans l'ignorance. Nous pouvons en majorité choisir d'ouvrir les yeux sur le monde ou de les fermer. Je crois que vendredi soir je les ai ouverts. Maintenant je veux les fermer : c'est pour cette raison que je vais voir la course de steeple-chase ; c'est donc pour cette raison que je marche le long de la Seine. Je serai bientôt arrivée ; il reste probablement 1 kilomètre, 1,5 tout au plus.

Comment avoir pu penser tant de mal du monde alors que l'assistance n'avait jamais cessé d'être à portée de ma main ?

J'ai refermé le recueil de poèmes. Où était mon assistance ? C'est à ce moment-là que je suis sortie.

75

Il faisait bon, une température vigoureuse mais douce. Malcolm Lowry est mort *déchiré* : à la fin, il ne se rasait plus mais il buvait son eau de Cologne. Même Malcolm Lowry n'a pas réussi à vaincre ; il s'est enfoncé dans le malheur et dans la solitude. J'ignore comment je vais finir, si je vais finir déchirée comme Lowry. Idéalement, je voudrais terminer mes jours à la campagne, dans une maison pleine de grâce et de silence. Peut-être au bord d'un lac ou d'une forêt. Je ne sais pas si nous décidons de notre futur ; si nous pouvons décider de perdre et de nous enfoncer dans l'autodestruction, ou bien d'« aller vers la lumière » — comme on le dit souvent. Je ne voudrais pas mourir comme Malcolm. En vérité, je ne voudrais pas mourir.

Le concept de douceur m'intrigue. Je ne sais pas si je suis quelqu'un de doux. Je crois seulement que je suis capable de douceur. C'est comme poser la question : la musique de Mahler est-elle douce ? Qui décide ? La musique de Mahler est douce, dure, déchirée, amère, légère et tragique par instants. Les nazis étaient-ils capables de douceur ? Malcolm Lowry est mort le 26 juin 1957 entouré de sa femme, d'alcool et de barbituriques. Je suis incapable de vous dire si Adolf Hitler a bu de l'alcool avant de mourir. J'ignore encore s'il est mort dans la douceur : la douceur est une forme d'amour. Adolf Hitler n'était pas capable d'amour, sinon il aurait épargné sa femme. À moins qu'Adolf Hitler ait compris que le monde à venir serait dépourvu d'espoir.

Toutes les fois de ma vie où j'ai gagné à un jeu, j'ai ressenti comme un éclair en moi. Une euphorie m'a brûlée jusqu'au cœur. Cela ne dure pas longtemps, peut-être quelques secondes ou quelques minutes, et après ça se renverse. Il y a une forme de déception. Je suis tentée de me demander pourquoi rien ne dure. Évidemment je ne vais pas le faire. Gagner est du domaine de l'illusion, mais perdre n'est pas du domaine de l'illusion. Par exemple : il est du domaine de l'illusion de croire que je vais vivre éternellement, mais il n'est pas du domaine de l'illusion de penser que je vais disparaître un jour.

Il doit être 7 heures maintenant, je regarde le ciel. Il est presque beige, de la couleur d'un trench. J'aurais dû dire à Martha Eichmann que son grand-père avait échoué : qu'il n'avait pas réussi à éliminer tous les Juifs d'Europe. Il le savait sans doute. Pourtant, quand j'ai regardé Martha Eichmann, j'ai cru voir dans ses yeux l'illusion de la victoire. Quand j'ai prononcé devant elle le nom : *Adolf Eichmann*, j'ai flairé le respect, et même une certaine forme de fierté. Après tout Adolf Eichmann n'était pas n'importe qui : Adolf Eichmann était quelqu'un — tout comme Hitler était quelqu'un : c'est par le mal que leur nom est entré dans l'Histoire, et par le mal qu'ils se sont distingués. Leur destin est lié pour toujours à la mémoire des hommes, quelque chose en eux est immortel : c'est une forme de victoire.

Pour certaines personnes, gagner est tout ce qui compte. Mais il est vrai, je le répète, qu'Adolf Eichmann n'est pas allé jusqu'au bout, car si Adolf Eichmann était allé jusqu'au bout — éradiquer le peuple juif dans son intégralité —, je n'aurais pas pu me trouver vendredi à table en compagnie de Martha Eichmann, petite-fille d'Eichmann : je n'aurais pas existé. J'aurais aimé expliquer à Martha Eichmann que notre présence, ce soir, à la table d'un restaurant de la rue Oberkampf était la preuve que son grand-père avait perdu la partie, mais je n'ai pas osé. J'ai craint sa réaction ; je ne voulais pas prendre le risque de faire sortir de table Martha Eichmann, car elle aussi appartient à l'Histoire : elle est une trace. On ne fait pas fuir les traces, on les observe tant qu'il est possible de les observer, puis on les regarde périr.

*

En observant Martha Eichmann, je me suis demandé si elle n'était pas déjà morte ; emmurée vivante par la trace qu'a laissée son grand-père sur le monde, et que son nom lui a transmis. Je me pose parfois la même question à mon endroit : suis-je emmurée vivante par la trace qu'ont laissée sur moi mes ancêtres ? Les traces peuvent nous ensevelir. C'est la raison pour laquelle je veux oublier. Être enseveli c'est ne pas pouvoir vivre ; je veux pouvoir vivre. Il y a des traces qui flattent notre orgueil ; d'autres qui nous rassurent ; d'autres qui nous bousculent et nous font peur. Se sentir rattaché à quelque chose, à une histoire, à un nom, à une généalogie, à un être, à une famille : cela est important. Une trace aussi peut blesser, je me sens blessée par certaines traces. Vendredi soir, Martha Eichmann a remué un poignard dans mes blessures. Le poignard, c'était son nom, son ignorance, son invisible sentiment de triomphe.

Échapper à la trace

Le 31 mai 1962, le gardien de prison israélien Shalom Nagar a tiré sur une poignée qui a actionné la potence. Deux minutes avant minuit, la trappe s'est ouverte sous l'ingénieur des camps. Le grand-père de Martha Eichmann est tombé dans le vide avec ses charentaises aux pieds. Il a refusé le bandeau autour des yeux : il voulait voir la mort. Sa dernière volonté fut un verre de vin de Carmel. Dans les derniers mots d'Adolf Eichmann, il y a : « Vive l'Allemagne » — cela me fait penser aux derniers mots de Claus von Stauffenberg : « Vive l'Allemagne sacrée. » Le visage mort d'Adolf Eichmann était *gonflé et livide*. C'était la première fois que Shalom Nagar voyait un pendu. Sur lui aussi, il y a une trace, comme une éclaboussure. Nous entrons en contact avec des individus et ces individus se défont en partie sur nous. Même une partie infime ; une partie quand même. Shalom Nagar n'oubliera jamais le nom : *Adolf Eichmann*. Pas plus que ses enfants. Pas plus que Martha Eichmann. Pas plus que moi. Pas plus que l'Histoire. Pas plus que notre monde. Les noms qui ont fait le mal entrent dans notre mémoire de manière aussi intense que les noms

qui ont fait le bien. Nous n'établissons aucune hié-
rarchie. Le nom *Hitler* n'est pas loin d'être aussi
célèbre que le nom *Jésus-Christ* et que le nom *Michael
Jackson*. Nous mettons tous les noms de l'Histoire
dans un grand sac puis nous les confondons. Parfois,
je me demande si nous sommes encore en état de faire
la distinction entre les bons noms et les mauvais
noms : si réellement nous la faisons. Il y a une forme
d'indifférence. Je pense qu'aujourd'hui Hitler est un
mythe au même titre que Jésus-Christ est un mythe et
que Michael Jackson est un mythe : nous ne pouvons
pas oublier ces noms parce qu'ils sont ancrés dans
notre mémoire. Les 14 000 000 d'êtres humains exterminés entre 1933 et 1945 ne sont pas des mythes :
nous ne connaissons pas leurs noms. Ils sont poussière,
ils sont chiffres. Que cela soit juste ou pas, là n'est pas
la question. La morale est comme le fait de gagner :
elle est une illusion.

Voilà ce que nous avons fait. Nous avons fait des
victimes un amas de chiffres, puis nous avons fait des
bourreaux un amas de mythes.

2

Devant mes yeux le jour se lève, c'est un timide soleil qui mord la lune, et moi je suis le fleuve et ma mémoire creuse mes souvenirs. J'amorce des milliers de pensées dans ma tête mais je n'en finis que quelques-unes : finir est plus difficile que commencer. Ce monde a commencé un jour, et un jour il devra s'interrompre. Parfois j'ai tellement peur qu'une chose s'achève que je me hâte de bousculer sa fin. Il en va peut-être de même pour notre monde : nous avons tellement peur que notre monde se termine que nous précipitons sa chute. Qu'en restera-t-il quand tous les êtres humains qui le peuplaient auront été anéantis ? Que voulez-vous que je réponde.

J'ai dit tout à l'heure que nous aurons bientôt trouvé une nouvelle planète où perpétuer notre espèce, mais je pense qu'il s'agit d'une énième illusion. Nous allons en finir avec la Terre et avec elle nous allons nous dissoudre. Je ne crois pas qu'il faille pleurer ; encore moins que nous devrions éprouver des regrets.

Là où est le commencement, là sera la fin

Je me demande quelle pourra bien être mon ultime pensée : peut-être que mon ultime pensée sera vide. Comme les ultimes pensées des morts exterminés au bord d'une fosse, d'une balle dans la nuque. J'ignore si mon ultime pensée sera une pensée de haine ou une pensée d'amour. J'ignore si je verrai des couleurs. Je voudrais contrôler le monde : je ne contrôlerai jamais le monde.

J'aurais pu taire mes pensées. J'aurais pu me censurer jusqu'au jour de ma mort. J'ai accepté que j'allais mourir : la peur de la mort n'est donc pas la cause, pas plus que mon goût du scandale. Qui me pousse au bord du ravin ? Qui me pousse à m'ouvrir d'une façon aussi dangereuse ? J'ai tout gardé en moi, j'ai fait des stocks de souvenirs. Tout est présent dans ma mémoire, je crois que je n'ai rien laissé derrière. Elle déborde, puis elle se vide, puis elle déborde à nouveau, comme le mouvement des vagues sur une plage. Même les moments les plus insignifiants, je les ai conservés, d'une blague mesquine de mon frère à une nuit blanche interminable ; d'un petit rayon de soleil à la mort de mon chien.

Les héros n'existent pas

Claus von Stauffenberg a été éliminé le 21 juillet 1944 peu avant 1 heure du matin. J'ai dit que ses dernières paroles ont été : « Vive l'Allemagne sacrée. »

J'ignore ce qui se dissimule derrière cette expression. Probablement une illusion de plus. Nous emmagasinons d'innombrables croyances. Claus von Stauffenberg n'est en aucun cas un héros. Il a doublement échoué. L'opération Walkyrie qui devait tuer Hitler est tombée comme un caillou dans l'océan. Le 20 juillet 1944, déjà plusieurs millions de Juifs étaient morts — je ne parle pas des autres. Claus von Stauffenberg n'était pas en avance sur son temps, il n'était même pas à l'heure au rendez-vous : Claus von Stauffenberg était scandaleusement en retard. Vouloir tuer Hitler le 20 juillet 1944, c'est comme vouloir commencer à vivre sur son lit de mort : quand bien même il aurait réussi, cela aurait été totalement inutile. Il faut pourtant reconnaître qu'il est l'un des seuls à avoir osé.

JE VIS DANS UN MONDE QUI N'A PAS PU ÉRADIQUER ADOLF HITLER

Le 30 avril vers quinze heures trente, alors que l'armée Rouge n'est plus qu'à quelques centaines de mètres du bunker, Adolf Hitler se suicide en compagnie d'Eva Braun. Hitler se donne la mort d'une balle dans la bouche.

Adolf Hitler a décidé du moment de sa mort. Nous lui avons permis de se suicider ; nous l'avons donc laissé gagner la partie : c'est un échec et mat. Adolf Hitler n'est pas mort, il n'a même pas disparu. S'il avait été supprimé par les Alliés, Adolf Hitler aurait pu disparaître. Mais son suicide bouleverse l'Histoire.

Le suicide d'Adolf Hitler n'est pas un détail : il est de la plus haute importance. Se suicider, ce n'est pas mourir. Se suicider, ce n'est pas disparaître. Se suicider : c'est effectuer un court-circuit. Adolf Hitler le savait, c'est la raison pour laquelle il s'est tiré une balle dans la bouche. Peut-être que si les Alliés avaient tué Adolf Hitler, nous aurions gagné en 1945. Si Claus von Stauffenberg avait réussi son attentat, alors nous aurions pu gagner la guerre.

Nous avons perdu la Seconde Guerre mondiale à cause d'un suicide

Je viens de le dire, je le redirai : nous avons eu l'illusion de la victoire en 1945, alors qu'en réalité nous avons échoué. Je ne dis pas que les nazis ont gagné la guerre : je dis qu'Adolf Hitler l'a gagnée par son suicide, et à cela je vous conseille de croire. Nous vivons encore sur le court-circuit d'un seul homme.

Il est évident que si Hitler n'avait pas existé, le monde actuel n'aurait pas été le même. Je ne m'aventurerai pas à dire qu'il aurait été meilleur — ou pire —, je dis seulement que la naissance d'Hitler ainsi que son suicide ont conditionné l'époque dans laquelle nous vivons.

Continuer dans le même monde après le court-circuit d'Adolf Hitler n'a simplement pas été possible : c'était d'abord trop humiliant. C'était surtout illogique : Adolf Hitler a fait de l'espèce humaine une espèce de rats : il a compromis le sens du mot *huma-*

nité. Nous avons donc été dans l'obligation de configurer un nouveau monde : un monde où le mot *humanité* a un sens nouveau. Ce nouveau monde a ses propres codes et sa propre histoire : dans ce monde, nous avons gagné la guerre en 1945. Refaire l'Histoire n'est pas seulement une possibilité : refaire l'Histoire est bien souvent nécessaire.

Pourquoi tenons-nous tant au virtuel ? C'est une question que je pourrais poser à chacun d'entre nous. Il est impossible de ne pas admettre la phrase suivante. *Le virtuel a envahi notre époque.* Je ne sais pas si c'est un hasard : en vérité, je ne le crois pas. Après le 30 avril 1945, nous avons basculé progressivement dans la technologie des écrans. Ce n'était pas un choix, c'était une spirale : il nous fallait *oublier* la défaite, *oublier* la blessure infligée à l'humanité. Ainsi nous avons rapidement agencé une planète baignant dans le virtuel jusqu'au cou, parce qu'il est un fait que les écrans nettoient les mémoires : oublier, c'est ce qu'il nous faut en permanence, c'est ce que je veux, or l'époque dans laquelle je vis est apte à l'oubli — et pour cela je l'estime de la manière la plus innocente et la plus pure. Le virtuel me fait oublier le pire, à savoir : le triomphe hitlérien.

Les écrans tentent par tous les moyens de détruire ce qui pourrait me rester de mémoire. Quand je suis sur mon Macintosh, quand je suis devant ma télévision, quand je joue à mes jeux vidéo, je ne sais plus où je suis, je ne sais plus quel jour nous sommes, mon cerveau fait le vide, mon cerveau est lavé : je sors de ma mémoire, je sors du temps, je sors du fleuve de l'Histoire. Et ce qui nous aide, nous ne devons pas le rejeter. Ce n'est pas un hasard si notre monde fait entièrement confiance au virtuel : il est notre seul espoir d'oubli.

Ce n'est qu'une hypothèse, mais je le pense maintenant : il se pourrait que le suicide d'Adolf Hitler et l'attentat manqué de Claus von Stauffenberg soient à l'origine de l'existence de mon Macintosh, de mes jeux vidéo — de toute la technologie.

Adolf Hitler s'est suicidé avec une femme née la même année que mon grand-père, en 1912. Nous pouvons choisir de fermer les yeux sur les coïncidences ou nous pouvons choisir de les ouvrir sur elles : j'ai choisi d'ouvrir mes yeux sur les coïncidences. Je ne sais pas, d'ailleurs, si nous pouvons parler de choix. Il s'agit peut-être d'une malédiction. Plus nous lions les événements, plus nous perdons l'innocence. L'innocence permet de vivre dans une certaine paix avec le monde — j'avais dit que pour moi le monde est l'autre nom du temps. Je ne suis pas en paix avec le temps. Je ne suis pas en paix avec le monde. Et ce n'est pas faute d'en avoir le désir : je désire être en paix avec vous tous. Il se peut que j'y parvienne un jour. Il se peut aussi que je n'y parvienne pas. Qui décide? Je l'ignore. Depuis que j'ai éliminé Dieu de ma vie, je ne sais plus rien. Ne rien savoir comporte des risques. Ne rien savoir, c'est vivre au bord d'un gouffre. J'aimerais savoir : j'aimerais croire en Dieu. Mais Dieu aussi a échoué devant mon illusion. Dieu n'agit pas sur ce monde et pour cela je lui en veux. En vouloir à Dieu est tout bonne-ment inutile mais il est un fait que bien des senti-ments dans notre existence ne servent absolument à rien. J'ajouterai : nous sommes nous-mêmes parfaite-ment superfétatoires. Et là est peut-être notre chance. Cette pensée m'est venue, j'aurais aussitôt pu l'inter-dire, la *mettre à la cave*, mais j'ai décidé de lui laisser une ouverture. Hitler rêvait probablement d'utilité : que son action serve son destin ainsi que celui de la nation allemande.

Adolf Hitler est un des noms les plus importants de l'Histoire — et je me demande si cela est acceptable. Je vous pose une question : pensez-vous que cela est acceptable ? Cela n'est pas acceptable, simplement : cela est. Dans notre monde, les choses sont. Il est *inutile* de chercher à *comprendre*, et là peut-être est notre chance.

J'ai trouvé une méthode pour vivre en paix : l'oubli. Mon seul problème étant que mon désir d'oublier ne s'exauce pas. C'est la raison pour laquelle je m'enivre. C'est la raison pour laquelle je m'aban-donne aux écrans. C'est la raison pour laquelle j'aime le sport, les courses et les nuits blanches — aussi ingrates et mauvaises puissent-elles me paraître quand je suis en train de les subir.

Oublier c'est commencer à vivre

Perdre la mémoire pourrait être un début de solu-tion. Mais ce que j'ignore c'est si je peux décider de la perdre, ou si cela ne relève aucunement de ma volonté. Le devoir de mémoire existe. J'aimerais que le devoir d'oubli existe également. Lorsque je suis tombée à la bibliothèque sur un livre portant le titre : *La Shoah, l'impossible oubli*, j'ai eu un moment de désespoir. Je me souviens que je suis rentrée chez moi et que je me suis étourdie jusqu'au soir sur mon ordinateur. Alors je me suis sentie mieux. Débordante de possibilités : de vie et d'avenir.

Dans son adolescence, Adolf Hitler s'amusait à tirer au revolver sur des rats. Dans sa vie d'adulte, Adolf Hitler a mis en place un processus visant à faire du peuple juif un peuple de rats qu'il fallait éradiquer. En tant que descendante d'un peuple exterminé comme un *rat*, je ne peux pas vivre en paix. Il faut donc que j'oublie : cela est indispensable.

*

Il n'y a pas que les Juifs qui souffrent

LES CATHOLIQUES SOUFFRENT,
LES MUSULMANS SOUFFRENT, LES NOIRS
SOUFFRENT, LES BLANCS SOUFFRENT,
LE MOYEN-ORIENT SOUFFRE,
L'OCCIDENT SOUFFRE, L'AFRIQUE
SOUFFRE : LE MONDE INTÉGRALEMENT

Il s'agit là d'une évidence, mais je préfère le dire : il est vrai que notre époque a l'irritante manie de se concentrer sur la Shoah. Or, même si je suis liée à la Shoah par le nom de mes ancêtres, je veux pouvoir faire place à toutes les souffrances. À tous les morts, à tous les souvenirs, à tous les lieux, à toutes les religions. Les massacres ne s'arrêtent pas; comme la mémoire, ils se relaient.

Confier ses yeux et son cerveau à un écran, c'est s'oublier dans l'inconnu — c'est aussi oublier sa souffrance, c'est oublier le passé et le présent. Les écrans sont accessibles partout dans le monde : personne n'est négligé. La technologie est mondialisée, cela est admirable : il faut le dire. Aucune portion de la Terre n'a été délaissée. Nous n'avons plus à endurer l'isolement, c'est une première dans l'histoire de l'homme.

J'ignore s'il y a une contrepartie à confier ses yeux et son cerveau à un contenu virtuel. S'il y a un *prix à payer* pour confier du temps de sa vie à une machine. Ce prix doit exister, mais il est trop tôt pour le dire : nous n'avons pas le recul nécessaire sur la technologie. Elle nous a pris de court; elle nous a emportés comme une vague dans un grand océan. Nous avons été aspirés en quelques années. Cela aussi est inédit. Nous vivons une aventure. Toute aventure a l'avenir incertain. Le règne du virtuel est une comète.

Qui songe à oublier se souvient

Montaigne a peut-être raison. Mon désir d'oublier pourrait aggraver mon cas. Plus je veux oublier, plus je vais me souvenir : c'est un cercle vicieux. Je l'ai déjà dit, je le crois, le modèle du cercle correspond au fonctionnement de notre monde. La solution existe mais elle n'a pas de visage. La solution est un *n*. Comment faire? Il faudrait ne plus avoir de désir. Faire une croix sur la volonté d'oubli. Faire une croix sur la peur de perdre la mémoire. Vivre insouciants. Détachés du passé. Cela est impossible : cela est du domaine de l'illusion.

Je n'ai pas de réponse

J'ignore pourquoi nous vivons. Et un tel questionnement est sans issue. Il ne peut recevoir aucune réponse valable. Toute réponse que j'ai pu lire et entendre à propos de : « pourquoi nous vivons? » m'est apparue comme un mensonge. À intervalles réguliers je désespère. Le désespoir naît de l'attente. Il me suffit de renoncer à l'attente. Alors je marche dans le désert sans faune et sans flore : je contemple mon abandon. Moi, seule, sur cette planète. Quelle que soit l'abondance de nos fréquentations, et cela n'a aucune importance : nous sommes toujours seuls.

J'ai été accueillie sur la Terre avec des fleurs — je veux dire que mon enfance a connu des lueurs de joie — je me souviens de la lumière. Il y avait du jaune et du blanc en quantité : il faisait jour. Les courts-circuits ont lieu, ils ne préviennent pas. Un court-circuit est comme un accident. Il est envisageable, mais pas envisagé. Adolf Hitler ne savait probablement pas qu'il aurait à s'ôter la vie dans de pareilles conditions : enfermé dans le salon privé de son bunker, à 30 mètres d'une beuverie, d'une balle dans la bouche. Il a eu un moment foi en l'avenir, comme nous tous. Nous sommes constamment rattrapés par ce qui nous échappe. Si la mort nous échappe, nous vivons entourés de mort. Si l'amour nous échappe, nous vivons assoiffés d'amour. Le sentiment d'abandon, je le connais. Je ne suis pas la seule. Il est un fait que nous sommes abandonnés. La joie me déserte, puis le désespoir me déserte, puis le sentiment d'abandon me déserte. Je sors ; je m'enivre ; j'oublie mes peurs et mes regrets. Le monde est un cercle qui admet des cycles. Il y a le cycle de la joie, le cycle de l'abandon, le cycle de l'amour, le cycle du désespoir, le cycle de la mort et le cycle de l'oubli.

J'oublie

Faites comme si rien n'allait avoir lieu : c'est de loin de la meilleure solution. Continuez à vivre, à boire et à manger, continuez à sourire. Je suis là pour me souvenir que la fin approche. La mémoire est relayable. Pendant que je suis chez moi la nuit, sans pouvoir trouver le sommeil, vous pouvez dormir sereinement. Mais quand je sors le soir, que je m'enivre, et quand le matin enfin je dors : c'est moi qui m'enfuis. L'humanité est composée de plages de temps. Nous décomposons le temps de la mémoire. Puis nous décomposons le temps de l'oubli. Ainsi la mémoire du passé et du présent n'est pas dilapidée ; ainsi l'oubli du passé et du présent est maintenu.

Mais cela ne suffit pas : je cherche à oublier pour toujours. Pas seulement quand je sors, pas seulement quand je dors, pas seulement quand je suis devant un écran. Je veux oublier les exterminés de l'Histoire de manière définitive et irrémédiable. Et je veux être assurée de me souvenir de ce que j'aurai choisi de conserver dans ma mémoire : ce qui ne me gêne pas, ce que je trouve d'une certaine beauté.

Comment vivre sans beauté ? Je pourrais dire : je cherche la beauté comme la clé possible de mon salut. Je ne le dirai pas, car là encore il s'agirait d'une illusion. Tous les dérivatifs du terme « salut » sont pitoyables. Le sauf n'existe pas. La salvation n'existe pas. *Être sauvé* n'existe pas. Plus je pense à ce terme et plus je sens poindre en moi la nausée. Quiconque déclare qu'il attend d'être sauvé est, selon 3 possibilités : un niais, un paresseux, un cynique de second ordre. Il suffit d'ouvrir les yeux sur le monde. Vouloir être sauvé, c'est comme vouloir comprendre. Il n'y a rien à comprendre : il n'y a pas à vouloir être sauvé.

Je ne cherche pas la beauté comme la clé possible de mon salut. Je cherche la beauté dans le seul but de ressentir une ivresse et un vertige : autrement dit, dans le seul but de me faire accéder à un moment d'oubli. La beauté est étourdissante ; elle est comme un écran. Je pense que la vraie beauté est virtuelle. Prenez mes joueurs de baseball, en noir et blanc : ils sont d'une beauté éclatante. Jamais ils n'auraient pu prétendre à une telle beauté dans le réel. L'écran leur a donné la forme de l'éternel, et pour moi, ce qui est beau, c'est ce qui donne l'illusion de ne pouvoir jamais être oublié. Les plus beaux visages que j'ai vus, les plus beaux livres que j'ai lus, les plus belles voix que j'ai entendues, j'ai pensé après chacun de leur passage : *je ne pourrai jamais l'oublier*. Peu importe si ce souvenir est enfoui dans une seule mémoire humaine, il devient d'autant plus rare : il devient un mythe singulier.

J'ai besoin de mythes singuliers

Pour vivre, il faut s'entourer de mythes. Nous avons tous notre mythologie, jalousement conservée dans les tréfonds de notre mémoire : des visages inoubliables, des voix inoubliables, des livres inoubliables. Sans mythologie, je me serais effondrée. La mythologie c'est l'émotion. Le Coca-Cola est entré tôt dans ma vie, il est devenu un mythe parmi d'autres. *Le Petit Prince* aussi. Je n'oublierai jamais le visage de mon premier amour : il s'appelait Guillaume. Nous avions 5 ans tout au plus. Nous nous mettions les mains dans les cheveux, j'enroulais ses boucles sur mes doigts... J'ignore ce qu'est devenu Guillaume, ce mythe singulier — cela ne m'intéresse pas. Il est entré dans ma mythologie.

Adolf Hitler est entré dans la mythologie de notre monde. Sa place est importante : nous sommes allés jusqu'à nous écarter pour lui laisser suffisamment d'espace. J'ignore si nous avons eu le choix. Je ne le crois pas, car je l'ai dit, son suicide nous a *vaincus*. Nous pouvons dire qu'Adolf Hitler a produit des calculs et qu'il est allé jusqu'au bout : même son suicide a été méticuleusement pensé. Se suicider, c'était devenir un mythe singulier : c'était entrer dans la mythologie de notre monde. J'aurais souhaité que Claus von Stauffenberg entre dans la mythologie de notre monde, mais il a échoué. Claus von Stauffenberg est un nom que peu de gens ont retenu. En revanche, Adolf Hitler est un mythe que vous et moi perpétuons.

3

Mon grand-père n'est pas mort en Pologne. Il aurait dû mourir asphyxié dans une chambre à gaz ou tué d'une balle dans la nuque mais il a réussi à fuir son pays à temps. Pour le dire autrement, mon grand-père a opéré un *court-circuit* : une bifurcation à un instant T du processus. Mon grand-père a interrompu momentanément le mécanisme : la machinerie nazie n'a pas pu le contenir. Les métaphores nous éclairent toujours : imaginez une montre de haute précision qui raterait un battement. Cela n'est pas prévu, cela ne fait aucunement partie de nos attentes, et pourtant la probabilité qu'une telle erreur se produise, qu'une telle faute ait lieu (si nous prenons en compte la doctrine nazie), aussi rare soit-elle, existe. La survie de mon grand-père est un accident. Il est passé au travers du filet de l'organisation, au travers de la volonté exterminatrice mise en place par le dénommé Hitler, puis par le dénommé Himmler, puis par le dénommé Heydrich, puis par le dénommé Eichmann.

Mon grand-père a été comme un battement

manqué dans le mécanisme de ma montre — cela lui arrive aussi, comme une souris qui se faufile sous une porte et disparaît dans la nuit; comme un cafard qu'un agent de propreté a omis d'écraser parce qu'il ne l'a pas vu. Je suis le résultat d'une opération qui a échoué partiellement à un instant T, dans un espace E; je suis le fruit lointain d'un dysfonctionnement, le lointain résultat d'une exception à la règle de la mort. Mon grand-père a survécu par sa disparition — par disparition, j'entends, par son exil. Il a été l'unité manquante. Le + 1 de l'extermination. Le reste : ce qui n'a pu être sacrifié, ce qui a manqué à être détruit.

*

J'aurais pu tuer quelqu'un aujourd'hui. N'importe qui, dans la rue. Je suis plus proche du meurtre que je ne le pense. Le sang s'est banalisé. À ma grande surprise, je n'ai pas ressenti d'émotion devant les aventures du héros de Bret Easton Ellis, Patrick Bateman. J'ai pourtant recherché l'émotion. Tous les éléments étaient rassemblés pour que j'adhère : l'audace, le sang, la pop, le crime, la nuit, l'humour, New York.

J'ai refermé le livre, j'ai probablement bu un soda et c'est comme si rien n'avait eu lieu. Je me suis dit que si *American Psycho* avait été un jeu vidéo et non pas un livre, j'aurais sans doute pu y trouver du plaisir, au moins une forme de divertissement. Je me suis dit : peut-être que Bret Easton Ellis a d'abord pensé en faire un jeu vidéo, mais l'époque n'était pas encore suffisamment en phase avec la technologie des écrans : la qualité de l'image n'était pas assez pure. Il se peut que Bret Easton Ellis se soit trompé de médium, ou qu'il ait choisi l'écriture par défaut. Il se peut que le médium du livre en ce qui concerne sa littérature n'ait pas été le médium le plus visionnaire ; le plus fou ; le plus excitant — le plus émotionnel. Je regarde une mouette se poser sur l'eau de la Seine et chavirer dans ses ondulations. Bret Easton Ellis aurait fait un excellent programmeur.

Je me demande ce que Hitler serait devenu s'il avait été de notre temps. Je me demande s'il aurait pris la peine de réaliser son rêve dans le monde dit *réel*, ou s'il n'aurait pas plutôt préféré le médium du jeu vidéo. Cela nous aurait évité bien des morts. Celles d'une partie de ma famille, par exemple, et celles de millions d'autres. Mais nous ne décidons pas de ce qui advient : nous ne décidons pas du médium, le médium décide pour nous. Il y a eu approximativement 6 000 000 de Juifs morts dans le monde dit *réel* ; Bret Easton Ellis a finalisé son projet sous la forme d'un livre. Marcher n'est pas dénué de charme mais il faudrait que je pense à passer mon permis un jour. J'achèterais une vieille Mustang, une vieille Jaguar ou une vieille Peugeot et je prendrais le large — je prendrais l'autoroute. Je me nourrirais de tartes aux pommes et de glaces à la vanille, comme Sal Paradise dans le roman de Kerouac. Fuir n'a jamais été chose difficile, croyez-moi.

*

Il se peut que nous aimions exterminer. C'est une pensée que je suis tentée de croire. En vérité, c'est une pensée que je crois — nous aimons exterminer. Il doit être 8 heures, j'aimerais boire l'eau de la Seine. Il faudrait que l'eau de la Seine soit potable. Que quelqu'un se propose de supprimer la vermine, les cadavres, les excréments et les algues du fleuve pour en faire une piscine géante, je lui accorderai mon vote. Je n'ai jamais voté de ma vie, je ne prévois pas de le faire, à moins qu'une personnalité propose de faire de la Seine un lieu de baignade. J'ignore combien de morts reposent dans ce fleuve, ou plutôt combien de morts y ont un instant reposé, car il est évident que ces corps ne sont maintenant plus des corps mais des lambeaux de pourriture marine recouverts de vase. Pensez-vous qu'il soit possible d'émettre un chiffre précis ? Les cadavres de la Seine sont les déchets de Paris. Ils constituent probablement une deuxième ville.

Je vais m'arrêter et je vais manger à ma faim : il faut régler ce problème car, somme toute, je ne suis pas encore morte, du moins pas mon corps. Or être mort c'est ne plus avoir à se nourrir. Être mort c'est être délivré du poids de l'information. Être mort c'est ne plus avoir à ouvrir un livre et à décortiquer ses raisonnements, ne plus avoir à faire couler sa sève dans notre arbre intérieur. Les morts gagnent la partie : j'ignore s'ils gagnent la partie depuis toujours. Je vous l'ai dit, je sais où je vais, et ce savoir suffit à me soulager de chaque seconde. J'ai de plus en plus soif. J'aimerais qu'on me dise si des carcasses de chevaux reposent dans ce fleuve.

Je veux gagner la partie

*

Cela me rappelle que mon oncle a eu un cheval de course pour lequel il s'est ruiné. Nous avons eu de l'espoir pour ce cheval, nous avons parié sur son triomphe, nous n'avons pas vu sa mort venir. Il s'appelait Wolfgang, on l'appelait Wolf.

Il est rare de savoir avec certitude qui va gagner une course avant les 100 derniers mètres, et pourtant ce jour devait être une exception : nous avons su avant la fin que Wolfgang allait être vainqueur, qu'il allait remporter pour la toute première fois de sa carrière le Grand Steeple-Chase de la saison. À la 21e haie, le grand favori a fait tomber son jockey. Wolfgang est revenu spectaculairement en force. Il était si loin devant les autres que la foule s'est mise à hurler.

Je me souviens parfaitement de cet instant, il est d'une clarté intacte, mon cœur s'emballe dès que je me le remémore : mon oncle ne bouge pas, ses bras convulsent, il les tient croisés contre son cœur. Il surveille Wolfgang avec fierté et ferveur. Son visage est empourpré de fièvre, il a les genoux fléchis, prêts à bondir. Wolfgang va gagner dans quelques secondes, mon oncle vient comme moi de le comprendre. Il reste 300 mètres, 1 obstacle : Wolfgang fonce vers sa cible. Nous ne voyons jamais le futur.

Son corps s'élance, ses sabots se cambrent. En un éclair, c'est la chute. *Clarté intacte*, je le revois. Wolfgang essaie, échoue, culbute, c'est si rapide, la croupe frappe le sol, le cou se brise, bruit plat et sourd, et avec lui notre rêve. Sa robe luit, elle est brune, chaude, foncée comme le bronze, mais lumineuse et dorée comme la cannelle : couleur Edgar. Wolfgang nous abandonne. Plus jamais d'entraînement. Plus jamais de caresses. Plus jamais rien entre nous.

Encore, *clarté intacte*, je le revois. Wolfgang arrive, s'étend, se déchire. Je ne sais pas à quoi il pense. J'ignore s'il ressent une émotion. Le jockey glisse sous son ventre. C'est brutal. Au ralenti, il y a la douceur et la violence d'une étreinte. Son naseau fond dans l'herbe, la nuque s'engouffre, elle se rompt : la nuque s'anéantit. Je ne sais pas à quel instant Wolfgang meurt : je ne sais pas à quel millième de seconde on se sépare, et cela me dérange. Je voudrais connaître le moment exact.

Oui, *clarté intacte*, je le revois. Wolfgang est une comète, Wolfgang est une fusée, il se prépare, s'élance, décolle, déchoit. Il s'éteint comme la foudre.

Quand Wolfgang s'est brisé la nuque, je n'ai ressenti aucune forme d'émotion. J'avais 8 ans, je n'avais encore jamais vu un mammifère mourir. Je n'ai pas eu de peine, pas une seule larme. Perdre un être cher n'est pas la difficulté. La difficulté est la compréhension de la perte. Je n'ai pas compris que Wolfgang venait de mourir. J'ai seulement compris que le spectacle était suspendu. J'ai pensé : « Wolfgang, relève-toi » — j'ignorais qu'une nuque brisée annulait jusqu'à la vie.

Amer est le déclin

Je me remémore le tapis de selle, ce rouge cinabre qui s'envole avec lui dans la chute. Wolfgang, c'était du rouge cinabre. Mon oncle pousse un cri aigu, raide, court — un cri de berger allemand : un poignard invisible s'est logé dans son cœur. Il vient de perdre Wolf, son unique pur-sang. On enjambe la barrière, on court comme des fous. Je vois un animal allongé sur l'herbe. Des larmes affluent devant moi. Mon oncle pleure. Ses mains touchent le chanfrein puis les oreilles de notre prince immobile. L'encolure est molle. Les narines sont chaudes et les yeux sont ouverts, ils regardent vers le ciel. Wolf a les muscles des mâchoires complètement relâchés, les dents offertes. Sa langue est rose dragée, elle pend en travers de sa gueule comme un petit drapeau ; des filets de bave roulent sur les brins verts. Je ne suis pas triste.

Ne neutralisez pas

Il faut remettre le terrain en état au plus vite, nettoyer le drame. Je veux oublier Wolfgang, la mort, le malaise. Je veux savoir qui va gagner la course. Mon enthousiasme explose. Je plonge mes doigts dans la crinière de la bête. Je ris, je la secoue ; elle est vivante. Des gens arrivent, des vétérinaires encerclent notre instant. Le désespoir je le vois rouge cinabre.

*

Nous tenons à exterminer. Même notre cheval, notre petit prince, notre petit Wolf comme l'appelait Balthazar, nous l'avons envoyé mourir. À aucun moment sa vie ne compta pour nous. Nous voulions seulement la victoire : nous avons parié sur elle comme nous avons parié sur sa mort, mais à cela nous n'avons pas voulu croire. Ce n'était pas de l'amour, il est du domaine de l'illusion de penser une telle chose, ce n'était même pas de l'affection. C'était de la croyance. J'ai cru à l'amour que l'on portait à Wolfgang comme j'ai cru à la victoire des Alliés en 1945. J'ai cru au monde que nous voyons le jour. J'ai cru à sa surface. Mais nous n'avons jamais aimé notre cheval. Nous n'avons jamais gagné en 1945 et le monde qui se présente devant moi n'est que chimère. Je ne croirai jamais en rien, sinon aux chiffres, et cela est probablement la plus grande difficulté d'un être supposé vivre.

*

Maintenant il fait jour. Je me rends compte que j'ai longuement attendu cet instant. Le jour, j'attends la nuit, la nuit, j'attends le jour : sauf le matin. Le matin je n'attends rien; je vis pleinement le matin pour ce qu'il est. Je dirais que jusqu'à 10 h 30, le jour est à son plus haut degré de perfection. Après ce moment de plénitude, l'attente réapparaît. L'attente du soir puis de la nuit. Après 10 h 30 je me concentre sur le futur. Je profite rarement du matin et je commets là une méprise. Le matin, c'est la vie. La naïveté de cette phrase n'enlève rien à sa valeur. Je me laisse avaler par la nuit, je me laisse prendre à son appel, mais la nuit n'est qu'une vaste erreur. Il faut croire que j'aime les erreurs. Je suis dans la capacité de les comprendre, et pourtant je les reproduis indéfiniment. C'est probablement un mode qui me précède. Mon grand-père s'est bien trompé de bateau lorsqu'il a voulu fuir. Il voulait embarquer pour New York, il a embarqué pour Buenos Aires, cette erreur a rendu ma vie possible, jusqu'à cet instant même. Mais je m'égare : je voulais seulement vous dire que le matin me procure un sentiment de spontanéité.

*

Je suis à la recherche d'une solution à mon existence qui n'a jamais été possible pour la simple raison que je suis immergée dans un monde sans solution au problème posé. Il se peut cependant que je me trompe, et que la solution existe mais qu'elle soit sans visage. Comme un *n* dans une opération arithmétique. Je me dis qu'un tel *n* pourrait être la solution au problème de mon existence, soit potentiellement n'importe quel chiffre correspondant à un entier naturel. Le chiffre caché derrière le *n* existe mais jamais il ne pourra être dévoilé parce que sa possibilité est infinie. Dans une telle configuration la solution serait donc cette absence. C'est une pensée que je pourrais admettre car elle me convient. Je pourrais envisager le monde à partir de cette lettre. Je pourrais dire : j'ai trouvé la solution au problème majeur de la *vie*, à ce mot ingrat qui ne satisfait aucun raisonnement : à la naissance, à la mort, à ce lieu maintenant, à moi, à vous. La solution peut être nommée, elle s'appelle *n* mais son visage est une ombre. Là-dessus, je ferai silence, nous n'avons pas besoin d'en savoir plus car nous ne le pouvons pas. Je peux choisir de me dire que le *n* existe, et de m'arrêter à cette lettre qui serait la solution, de m'arrêter comme Forrest Gump après des milliers de kilomètres de course. Je ne ferai pas demi-tour comme Forrest Gump car il n'y a pas de demi-tour possible. Je suis née, cela ne s'annule pas.

4

J'ai marché jusqu'à la tour Eiffel et je suis entrée dans un *McDonald's*, marque américaine dont les créations alimentaires ne finissent jamais de me surprendre, et pour cela je l'estime : l'effet de surprise est un élément essentiel de la vie. J'ai commandé un muffin aux pépites de chocolat, une bouteille d'eau de 50 centilitres et des fruits prédécoupés dans un sachet en plastique. Je crois qu'il y avait des raisins et des morceaux de pommes, je n'en suis pas entièrement sûre. Je me suis assise au fond du fast-food sur une banquette d'une couleur séduisante, entre l'azur brume et le bleu dragée — comme mon jean — et d'une telle douceur pour les yeux que j'ai cru un instant succomber au sommeil. Devant mon plateau, pendant quelques secondes, je me suis demandé si j'étais dans le réel ou dans un rêve, puis j'ai pensé : « Alma, tu dois reprendre des forces. » Ce sentiment d'incertitude est désagréable, il me dérange de plus en plus. Il est évident que la notion de réalité est mutilée depuis longtemps, mais il faut bien pouvoir vivre. Le muffin m'a détendue, il imitait admirablement le goût du chocolat. Les pépites étaient croquantes, mais le cœur de l'objet a fondu dans ma bouche. J'ai bu de l'eau. En vérité je voulais du Sprite. J'ai vérifié que j'avais assez d'argent pour un verre de Sprite puis je me suis levée. J'ai délaissé mon plateau avec l'étrange impression d'abandonner un être cher, je suis allée commander un Sprite et je suis retournée à ma place. Je suis toujours assise, je viens de terminer mon Sprite et ma bouteille d'eau. Il faut dire que j'avais soif. Je n'ai pas envie de fruits ; je me force car ces vitamines sont une nécessité. Ils ont un petit goût de chlore. Il n'y a pas de pendule dans ce *McDonald's* mais je pense qu'il est moins de 10 heures. Je regarde le ticket de caisse : il était 10 h 12 il y a peu. J'ai toute la journée devant moi. 10 h 12 est peut-être l'heure parfaite. Je me demande ce que faisaient les Juifs à Auschwitz à 10 h 12. Je sais que Louis XVI est mort à 10 h 22 ; à 10 h 12 il était donc probablement déjà sur l'échafaud. Balthazar a pris l'avion pour les États-Unis autour de 10 h 30. Je ne suis pas allée l'accompagner à l'aéroport, on s'est dit au revoir, en vérité, on s'est dit *salut* devant son immeuble. J'aurais pu attendre plusieurs jours devant cette porte, personne ne m'aurait ouvert parce que personne n'y habite. Je suis passée devant l'agence immobilière il y a 5 jours, la petite chambre était toujours à louer : j'ai simplement voulu revenir. Il fallait que je vérifie si Bal était bien parti et si cela n'avait pas été une illusion, car le départ de Balthazar est un événement que j'oublie sans cesse, mais uniquement pour une poignée de secondes pendant lesquelles je suis tentée de l'appeler et de lui proposer de jouer à un jeu vidéo ou d'aller boire un verre de grenadine ou de bordeaux, et alors, instantanément, je me souviens que 13 heures d'avion nous séparent. Je suis allée jeter mon plateau dans la poubelle. Sur le rabat était gravé : *merci*. J'ai été touchée par ce mot de politesse inaltérable. Il manquait quelque chose dans ce fast-food. J'ai hésité et je me suis souvenue : il manquait la musique de Wagner.

*

Je déteste l'avion. Ce que j'aime, c'est le train. Le train est entré dans l'Histoire, l'avion n'est pas encore entré dans l'Histoire — seul l'avion de guerre est entré dans l'Histoire —, le train a transporté des écrivains, des magiciens, des aventuriers, des princes, des rois, des Juifs, des héros, des solitaires, des criminels, des bourgeois, des hères, des générations de familles, des tziganes, des handicapés : des vivants, des morts. Le train a fait voyager mon grand-père; il a fait voyager le narrateur de la *Recherche*; il a fait voyager Holden Caulfield; il a fait voyager le prince Mychkine. Le train a remplacé les chevaux sur les routes.

Il y a une généalogie de l'émotion. Les chevaux, les trains et les voitures y sont entrés, ils ont été immortalisés dans les romans, dans les films, dans l'Histoire : mais l'avion ne les a pas encore rejoints. J'ai l'espoir de voir un jour l'avion triompher sur ce plan mais je crains que l'émergence du transport spatial ne vienne rafler la mise. L'avion est arrivé trop tôt ou trop tard. Cela étant dit, je peux admettre que le *Concorde* a été une machine à forte capacité émotionnelle : le *Concorde* avait un charisme, il transmettait du désir. Il a fallu un seul crash pour faire voler en éclats le rêve du *Concorde*; c'était le 25 juillet 2000. Nous étions encore au xxe siècle et je n'avais pas 10 ans. Le vol 4590 a supprimé 113 personnes, soit 113 individus contenant de l'émotion. Paradoxalement, ce jour-là, nous pouvons dire que toute la capacité émotionnelle du *Concorde* a été révélée à la face du monde. Il y a eu de l'adrénaline, de l'excitation, de la tragédie, du sang, des larmes et quantité de souvenirs. Il faudrait que cette journée soit comme l'instant du crash du *Concorde* 4590 du 25 juillet 2000; il faudrait que cette journée incarne cette émotion. Il faut qu'elle explose. Si je parviens à amener votre cerveau jusqu'au point de l'expérience émotionnelle d'un crash aérien tel que le crash du *Concorde*, alors j'aurai effectué ma tâche.

*

Je suis sortie du fast-food. Dehors, le soleil a enfin surgi entre les nuages. Il me semble que j'en avais oublié la couleur. C'est un soleil à rayons jaune pâle, fade, sans véritable goût : un soleil virtuel. Mais la fraîcheur qui est dans l'air je la ressens, je la respire, ce vent nous vient probablement du Nord. Je l'avoue, j'ai eu envie de champagne, mais les conditions n'étaient pas réunies ; le champagne n'était pas à ma portée, je n'avais presque pas d'argent, alors j'ai acheté une petite bouteille de lait. Je l'ai presque entièrement bue — j'aime boire du lait froid dans la rue.

Un seul être vous manque et tout est dépeuplé

Je continue à longer la Seine, toujours à pied, jusqu'au pont de Grenelle : je le conquiers. Je m'arrête au milieu du pont devant la statue de la Liberté : j'ai un éclat de rire, sec et court, face à cette grande statue dont j'avais oublié l'existence. Je regarde la statue de la Liberté en pensant au terme : *démocratie*. Je devrais croire à notre devise : « liberté, égalité, fraternité ». Mais Chateaubriand a tout gâché pour moi. J'ai échoué à croire à notre devise républicaine le jour où j'ai appris que cette sentence était incomplète et qu'en réalité il fallait dire : « liberté, égalité, fraternité ou la mort ». Je n'aime pas la mort, je ne vois pas ce qu'elle vient faire là : c'est à se prendre les pieds dans le tapis. Une devise doit faire rêver, or cette devise me fait du tort. Beaucoup de choses s'effondrent devant nous, il n'y a pas toujours d'explication valable. Il est un triste fait, je l'ai constaté, que vouloir croire à quelque chose ne garantisse en aucun cas que nous y parvenions.

*

Même Talleyrand avait un chien. Il s'appelait
Carlos et il cherchait encore son maître après sa mort.
Mon chien s'appelait Edgar; il me manque tous les
jours. Je me demande si je rejoindrai Edgar quand je
mourrai. Je pense que les chances sont extraordinairement minces pour que le paradis des hommes, s'il
existe, soit en communication avec le paradis des
chiens. En attendant, je pourrais acheter un autre
chien. Mais comment l'appellerais-je, telle est la
question qui me hante. Il faudrait trouver un prénom
à la hauteur d'Edgar, mais assez différent pour qu'en
appelant mon nouveau chien je n'aie pas une pensée
immédiate pour celui que j'ai perdu. Je pourrais
appeler ce chien Carlos, je me dis que c'est une bonne
idée — je viens de ressentir une fatigue, comme si
une main s'était posée sur mon visage — ou alors je
reprends le même chien (même race, même robe) et
je l'appelle Edgar. C'est une tentation à laquelle je
suis capable de succomber. Un nouveau labrador
chocolat : un nouvel Edgar. Il est d'ailleurs possible
qu'un jour je ne fasse même plus la différence; le jour
où nous aurons atteint un état de proximité semblable à l'état de proximité affective que j'ai connu
avec Edgar Ier. Il faut seulement que je parvienne à
oublier le moment de sa mort, le reste se fera naturellement. Je l'ai déjà dit, oublier est un geste d'une effi-
cacité redoutable. C'est presque un geste d'amour
mais ce n'est pas un geste d'amour. Les gestes

d'amour sont nocifs, ils mettent en danger l'émotion — elle risque de ne plus être spontanée mais corrélée avec des peurs et à des attentes. Moi j'ai tant attendu de mon Edgar. Il a pourtant fini dans une poubelle. Il ne reste rien de son corps désormais, même pas un poil ; la benne à ordures qui a enlevé sa dépouille l'a certainement écrasée contre d'autres déchets (morceaux de fruits pourris et excréments de chat), puis ils l'ont brûlée et la fumée a rejoint le ciel. Je me souviens du regret que j'ai éprouvé après avoir enfoui le cadavre d'Edgar dans un sac poubelle et fourré — non sans peine, car il était lourd — dans le bac à ordures vert de la cour de l'immeuble de l'avenue du Maréchal-Lyautey où vivaient mes parents et mon frère. Je veux dire, au bas de l'immeuble où nous avons vécu. Je ne l'ai dit à personne, ni à mes parents, ni à Balthazar. J'ai placé Edgar dans la poubelle, non sans un haut-le-cœur — son cadavre commençait à puer, le mélange des odeurs était infect, irrespirable, j'ai cru vomir sur sa dépouille. Puis j'ai repris mon sang-froid ; une fois l'écœurement et l'aigreur passés, j'ai ressenti du soulagement, je dirais même, une certaine satisfaction de me voir débarrassée de cette carcasse puante qui ne répondait plus quand on l'appelait : j'ai pu raisonnablement *passer à autre chose*, comme disent les êtres humains. « Ainsi va le monde, ce n'est pas ma faute » est une phrase qui pourrait me convenir. Elle est valable pour toutes les dépouilles, pour tous les échecs possibles. Cette phrase pourrait correspondre au *n*, elle pourrait entourer son mystère d'une onde légère de paix : avec une telle phrase tout nous est permis.

C'est précisément ce que j'approuve dans notre monde : que tout nous soit permis. C'est pourquoi je vais racheter un chien ; je vais racheter un labrador couleur chocolat, je vais le nommer Edgar, et quand il sera mort je le fourrerai dans un sac et je le jetterai avec le même sang-froid, à la différence que mes gestes seront plus agiles, parce que façonnés par l'habitude. Je crois que la vie fonctionne selon le modèle du cercle. Je ne connais pas de figure plus propre ni plus satisfaisante. Le carré, le triangle, le rectangle, le parallélogramme, le trapèze, le losange, le pentagone, l'hexagone, l'octogone, en rien ne sauraient se hisser à la hauteur de la pureté d'un cercle.

*

Je regarde la Seine agiter ses flots. Je regrette qu'il n'y ait pas en France une véritable place pour le base-ball : il nous faudrait plus de stades. Je sais que les passionnés de baseball affluent et que la Fédération française de baseball et softball a pris de l'envergure, et cela ne fait que commencer. Je pense même qu'il est temps de construire un stade de baseball à côté du Stade de France ou bien a côté de l'hippodrome d'Auteuil : c'est un investissement pour l'avenir. *Nous deviendrons américains.* Cela est dans la logique des choses et je m'en réjouis. Ainsi je pourrais aller voir un match de baseball puis aller voir une course de chevaux — je ne crains pas plus l'excès de sport que l'excès de divertissement. J'aimerais aller m'étourdir au baseball puis aller m'exalter aux courses. Quand j'y pense, grand-père a tout fait pour oublier sa vie : il a appris à jouer du jazz, il a fondé un journal de gauche, il est allé aux courses, il a fumé la pipe, il s'est marié deux fois, il a adopté un chien, il a fait des croisières. Il a gardé le silence sur son passé et du reste personne ne l'a interrogé. Il a verrouillé tous les souvenirs. Si j'avais été là tant qu'il était encore vivant, je l'aurais recouvert de questions jusqu'à l'étouffement en grattant jusqu'au sang la croûte amère de ses blessures.

Nous pouvons le dire, je suis un être perdu — la raison étant que je manque de traces. Je suis comme Hansel et Gretel dans la forêt ; j'ai mis des morceaux de pain pour rentrer à la maison mais ils ont été mangés par les oiseaux. Et j'aurais dû mettre des pierres mais on ne m'a pas donné de pierres, je n'ai trouvé que du pain. Je connais si peu de choses sur ce qui me précède. Les souvenirs et les morts se dissolvent derrière moi. Question : qu'ont fait Hansel et Gretel quand ils se sont perdus dans la forêt ? Réponse : ils se sont réfugiés chez une horrible sorcière qui les a accueillis avec des friandises. Moi je me suis réfugiée dans le baseball, dans le Pepsi et dans les courses.

Il me faut une pause, ici et maintenant. Je n'ai plus envie de marcher. Je m'assois sur le pont de Grenelle, j'épouse sa laideur. Une pause sans sommeil, voilà ce que je veux.

Je vais vous raconter quelque chose d'important. Le 31 mai 1997 Kasparov s'est fait battre au 44ᵉ coup par un ordinateur. Nous pouvons dire que c'est aussi le jour où l'intelligence humaine s'est soumise à la science. Cette défaite n'a pourtant pas été le résultat de la performance extraordinaire de Deep Blue ; elle a été le résultat d'un simple coup du hasard. La machine a été victime d'un dysfonctionnement algorithmique. Face à ce court-circuit, incapable de prendre une décision, Deep Blue a produit un algorithme aléatoire. Kasparov n'a pas été battu par les mathématiques : il a été battu par le hasard. Ce 31 mai 1997, j'étais probablement seule avec ma Game Boy. J'ignorais que les humains venaient de perdre leur dernier atout ; qu'ils venaient de se livrer définitivement à un pouvoir supérieur, fruit de leur propre création. Je m'incline devant mon nouveau seigneur : son suprême rayonnement. Maintenant je veux écouter Michael Jackson dans ma tête ; danser mentalement sur le pont, oublier l'espace, le temps, la philosophie, le baseball, les courses, les jeux vidéo. Je vais imaginer Fred Astaire danser sur *Billie Jean*, cela me reposera.

5

Chaque fois qu'il se passe quelque chose, il se pourrait que rien ne se soit passé, qu'il n'y ait eu que pure illusion

La possibilité qu'il ne se passe rien me préoccupe. Et plus j'y pense, plus cela me paraît évident : nous vivons d'illusions. Peut-être pas seulement dans l'amour. Peut-être aussi dans la haine : dans le bien et dans le mal. Il se peut même que le mal comme le bien n'existent pas. Que l'événement du mal et l'événement du bien soient chimériques. J'ai connu des êtres fascinés par le mal ; d'autres, fascinés par le bien. Et alors ? Rien ne changeait dans leur vie. Leur fascination pour le mal, leur fascination pour le bien, cela ne les menait nulle part. Si Dieu est une illusion, la suite logique est que le bien et le mal en sont aussi. Je dois aller jusqu'au bout : je dois dire alors que ce qu'a fait Hitler n'est pas mal, n'est pas bien. Ce qu'a fait Hitler a été, est, sera. Nous avons choisi de donner des valeurs morales à notre monde. Nous pourrions aussi bien décider de ne plus en donner.

Je ne fais aucune différence entre un mariage et un crime : ils ont lieu. Si le monde doit finir, nous devons faire tomber les barrières du bien et du mal, ainsi que les barrières du jugement, car aucun d'entre eux ne sera dans la capacité de maintenir la vie sur Terre. Ils sont seulement des mirages : je crois que je commence à le comprendre.

Il y a 36 heures, quand je me suis retrouvée face à Martha Eichmann, je n'ai vu aucun bien ni aucun mal dans ses yeux. J'ai vu un être qui vivait et qui allait mourir. Comme vous, comme moi. Je ne dis pas que nous sommes égaux : nous ne sommes pas égaux. Là encore, il s'agit d'une illusion. Je dis seulement que nous sommes. Et que nous ne serons plus. Un être humain mourant à 85 ans aura vécu 31 025 jours. C'est 2 fois moins que les quelque 60 000 pensées que mon cerveau émet quotidiennement. La vie est courte, je ne vais pas revenir là-dessus. Je dis et redis beaucoup d'évidences. Et pourtant elles me viennent et me reviennent toujours avec le même effet de surprise : elles me choquent. Dans quelques heures, la course aura eu lieu, elle sera terminée. Je rentrerai probablement chez moi. Ce sont des choses que personne ne veut savoir. Ce qui nous intéresse, c'est le moment de la course et l'attente de la victoire. Ce qu'il y a après nous n'en voulons pas : ce qu'il y a après c'est la déception du retour. Il se peut que je change mais je ne le pense pas. Après l'illusion de la course, il y aura l'illusion du retour. Mes souvenirs reviendront à la surface, à nouveau je voudrai les oublier. Je chercherai ailleurs.

Et j'irai d'étourdissement en étourdissement, de secret en secret, de solitude en solitude, de signe en signe, de sourire en sourire, de jeu en jeu, d'abandon en abandon, de travail en travail, d'amertume en amertume, d'attachement en attachement, de trace en trace, de souvenir en souvenir, d'amour en amour, de blessure en blessure, de vers en vers, de verre en verre, de vert en vert, de nuage en nuage, de bleu en bleu, de brou de noix en brou de noix, de visage en visage, de ville en ville, de forêt en forêt, de chien en chien, de séjour en séjour, de numéro en numéro, de larme en larme, d'éclat de rire en éclat de rire, de soulagement en soulagement, d'échec en échec, de bouche en bouche, de musique en musique, de lecture en lecture, de caresse en caresse, de mariage en mariage, de cheval en cheval, de mort en mort, de film en film, de victoire en victoire, de rêve en rêve, de couleur en couleur, de naissance en naissance, de perdition en perdition, de retrouvailles en retrouvailles, de nom en nom, d'erreur en erreur, de robe en robe, de tee-shirt en tee-shirt, de chemise en chemise, de chaussures en chaussures, de sable en sable, d'excitation en excitation, de réseau social en réseau social, de mirage en mirage, de famille en famille, de beauté en beauté, de journal en journal, de magazine illustré en magazine illustré, de vacances en vacances, de pensée en pensée, d'océan en océan, de divorce en divorce, de douceur en douceur, de montre en montre, de pluie en pluie, de sommeil en sommeil, de soirée en soirée, de roman en roman, de déception en déception, de Pepsi en

Pepsi, d'acharnement en acharnement, de chef-d'œuvre en chef-d'œuvre, de joie en joie, de matin en matin, de découverte en découverte, de cadeau en cadeau, de relâchement en relâchement, de sport en sport, de décision en décision, d'heure en heure, de généalogie en généalogie, de prénom en prénom, de déjeuner en déjeuner, de peau en peau, de campagne en campagne, de péage en péage, d'éblouissement en éblouissement, d'amitié en amitié, d'éclair en éclair, de peine en peine, de président en président, de maison en maison, de disparition en disparition, d'objet en objet, d'été en été, de détachement en déta-chement, de désir en désir, de paysage en paysage, de gouvernement en gouvernement, de croyance en croyance, de jean en jean, de fou rire en fou rire, d'instant en instant, de phrase en phrase, de lassitude en lassitude, de cycle en cycle, d'attention en atten-tion, de divertissement en divertissement, d'élection en élection, d'année en année, de jeu vidéo en jeu vidéo, de déchirement en déchirement, d'indifférence en indifférence, de difficulté en difficulté, d'éloigne-ment en éloignement, de question en question, d'écran en écran, d'oubli en oubli, d'orage en orage, de soleil en soleil : d'illusion en illusion.

*

Le cercle des émotions est restreint mais il est continu : il fonctionne selon le modèle de la roue. La roue tourne, les émotions reviennent, jusqu'à ce que s'achèvent les 31 025 jours d'une existence humaine — plus ou moins 31 025, selon le courage et la chance — et je ne veux pas être triste. Je l'ai dit, je le redirai. Je veux vivre.

Notre monde existe : il aurait pu ne pas exister, il aurait pu être autre, mais il existe ; il est tel, et un jour il ne sera plus. Quand un spectacle se termine, quand un feu d'artifice disparaît dans la nuit, il y a différentes catégories de réaction possibles : ceux qui en veulent encore, ceux qui n'en veulent plus, ceux qui n'arrivent à croire qu'il ne reviendra pas, ceux qui sont soulagés de la fin, ceux qui n'ont jamais cru à ce qu'ils viennent de voir. J'ignore dans quelle catégorie de réaction je me situe. Si j'avais renoncé à aller au restaurant vendredi soir, si, à la dernière minute, j'avais produit un court-circuit dans mon week-end et que j'étais allée au *Fantôme* en bas de ma rue pour boire un verre de lait ou une bière et jouer à un jeu d'arcade, je n'aurais probablement jamais eu toutes ces pensées : mais je suis allée au restaurant, j'ai embrassé la petite-fille d'Adolf Eichmann sur les deux joues et j'ai eu toutes ces pensées. Je ne suis pas dans un jeu vidéo, je suis dans le réel. Qu'est-ce que le réel ? Non, Alma, fais taire les questions.

III

L'éclair qu'on rejoint à la course

LOUIS ARAGON

Le saut ne demeure un saut que s'il remémore

MARTIN HEIDEGGER

I ain't finished, I'm devoted

KANYE WEST

III

1

Un paysage de plaine défilait devant mes yeux, le train était pratiquement vide. Je pensais à ce qui s'éloignait, mon enfance et mon petit Edgar. Je crois que je voulais pleurer mais pas une larme n'aurait quitté mes yeux, c'était un chagrin dépourvu d'émotion. Je voulais lire une bande dessinée, un *comics*, je voulais voir Superman et sa cape rouge cinabre, m'y réfugier. Immense solitude. Oui je voulais fuir. *Alma! pourquoi tu l'as tué!* je pensais dans le train. J'ai tué Edgar pour contrôler la mort. J'ai décidé que mon chien allait mourir et je l'ai supprimé : j'ai eu ce pouvoir. La pensée que mon petit Edgar rejoindrait l'éternel m'était une étrange consolation ; je lui avais donné cette chance. Je crois qu'il n'a pas beaucoup souffert.

Je voulais disparaître dans la forêt de Compiègne, m'enfoncer irrémédiablement dans la nuit, loin des clairières et du monde habité par les hommes. Inventer un conte, entrer dans ce conte, ne plus jamais revenir dans le réel.

Pour renoncer à son enfance il faut d'abord éliminer son chien

Les nazis auraient pu choisir d'exterminer les chiens, ils ont choisi d'exterminer les Juifs. Je me demande pourquoi les Juifs, pourquoi pas les chiens — pour moi, mon petit Ed, mon labrador couleur d'ébène, il était aussi grand que les hommes. Non, il était plus grand encore. On dit que l'essentiel est invisible pour les yeux : mon Edgar connaissait l'invisible. Je dirais même qu'il entendait le silence. J'ai égorgé ce que mon enfance avait de plus cher, de plus disponible, mon fidèle et adorable compagnon. Non pas que j'aie voulu l'assassiner gratuitement, mais il fallait que je sache jusqu'où j'étais capable d'aller.

Nous étions le 8 décembre. La maison dormait. C'était le jour de mon anniversaire, au petit matin : je venais d'avoir douze ans. J'ai enfoui la dépouille d'Edgar, toute tiède et sanglante, dans mon sac de tennis, en prenant soin d'en ôter d'abord les raquettes, mais en veillant toutefois à lui laisser sa balle fétiche, jaune et verte, poilue, un peu meurtrie par ses crocs joueurs, cette petite balle qu'il aimait tant. Puis j'ai ajouté une pelle en plastique, la fameuse pelle que j'utilisais autrefois pour construire mes châteaux de sable, sachant que ce matin-là elle me servirait à creuser la terre. Je me suis lavé les mains, qui dégoulinaient, j'ai bu un verre d'eau le temps de me reprendre. Et j'ai enfilé le vieux Barbour de mon père.

J'ai quitté l'appartement aux premières lueurs du jour, surprise par la brume qui voilait l'horizon : l'avenue du Maréchal-Lyautey baignait dans une pâleur impure, elle sentait le sapin. J'ai jeté le coussin bleu d'Edgar, maculé de sang, dans une poubelle municipale aux abords du square Tolstoï. Il faisait un froid humide, pénétrant. J'ai pris un bus jusqu'à la gare du Nord ; j'ignorais dans quel train il fallait monter. Edgar était lourd, mon épaule souffrait. J'ai demandé à un agent de la SNCF quel train était le bon pour la forêt de Compiègne. J'avais froid au point que je tremblais. Il est évident que j'aurais dû mettre un pull. Mais le matin en me vêtant je n'avais pas mis de pull car j'avais eu l'intuition que mon corps devrait demeurer en éveil, sensible au froid, qu'il aurait le devoir d'éprouver cette matinée jusque dans sa brutale fraîcheur : je voulais ancrer le souvenir de ce terrible événement — la mort de mon petit amour — par la sensation de cet hiver infâme.

Soyons relatifs. Une fois dans le train, j'ai éprouvé un certain soulagement : la difficulté d'une épreuve se mesure au nombre d'étapes. Tuer mon meilleur ami, éviter les taches, me laver les mains, fourrer le cadavre dans le sac Wilson, quitter l'appartement sans faire de bruit, arriver jusqu'à la gare, trouver le bon train, monter dans ce train. Je venais d'effectuer 8 étapes, soit plus de la moitié du parcours : le plus dur était donc fait. J'ai posé le sac sur le siège voisin. Il avait épousé la forme de mon labrador ; courbé comme une gondole, comme un croissant de lune.

Sa fermeture éclair, hermétique, m'épargnait toute odeur, si bien que je me suis félicitée d'avoir eu l'intelligence d'opter pour un sac de sport et non un sac en toile qui aurait échoué à dissimuler les effluves et le sang.

Dans le train, je n'étais plus concentrée sur mon crime : je pensais au bien-être d'Edgar et à notre prochain arrêt. Il est possible que j'aie peiné à croire que je l'avais tué. Il était vivant dans ma tête ; à mes côtés. Nous étions ensemble, élevés contre ce monde étrange qui glissait devant nous, ogresque et monstrueux, menaçant de nous avaler à tout instant : je craignais en vérité de ne jamais rentrer vivante à la maison. C'étaient les quelques rares voyageurs de ce train morose, plongés chacun dans sa vie, c'était le paysage anonyme, c'était la crainte de ne pas mener à bien ma mission. Le saut dans l'inconnu. Edgar et moi, on était perdus dans ce matin obscur, on pataugeait dans l'océan. Je n'avais qu'un désir : venir à bout de l'épopée.

Évidemment, l'arrêt bientôt s'annonça et, en quelques minutes, j'étais sur le quai de la gare de Compiègne, avec mon petit Ed, bien emmitouflé dans son sac rouge et blanc. Quelque chose frappa mon regard et mes sens : l'atmosphère avait changé. Fini le gris étain. Violent bleu du ciel. Les nuages étaient absents. Mon exaltation montait à la vue de cette pureté qui trônait au-dessus de nous ; ce bleu roi intense nous couronnait de son vide ; il éclairait maintenant notre chemin. Il me sembla que tout était prêt; qu'une écharpe invisible et sacrée délimitait l'événement; *ça sentait la messe*, à commencer par ce ciel inouï neuf éclatant. Sa perfection allait jusqu'à me faire douter du réel. Je ne savais pas où était la forêt; je demandais des renseignements à n'importe qui, aux premiers visages qui croisaient ma route. Parfois ils savaient, souvent ils ne savaient pas et moi-même j'oubliais ce qu'on venait de me dire. J'espérais seulement que mon petit Edgar n'était pas trop en peine — mais il avait sa balle. J'ai fini par aller à l'office de tourisme sur la place de la ville. Il y avait la queue; j'ai pris peur. Je me suis contentée d'attraper un prospectus. Je l'ai ouvert et j'ai lu : « Découvrez la forêt de Compiègne, profonde et majestueuse, superbe en toutes saisons. » J'ai répété : *profonde et majestueuse, superbe en toutes saisons.* Le sac commençait à sentir; il était moins hermétique que j'avais pu le penser. Instantanément je me suis rappelé le parfum inoubliable des boucheries où la lourdeur de la viande froide se mêle au fumet poivré des saucisses sèches et du poulet rôti : une odeur qui monte au nez, gourmande et charnelle malgré l'écœurement.

Les vies tiennent à peu de chose : celle d'Edgar, à mon tourment, à ma jeunesse. Je ne mens pas : nous étions le 8 décembre. Je suis entrée dans la cuisine sous le silence de l'aube; mon petit prince dormait près du radiateur, comme un nourrisson, sur son coussin bleuté. Il était l'innocence, la pureté, le jeu. Il était l'enfant que j'étais. J'ai pris un couteau qui traînait dans le tiroir à couverts et j'ai taillé dans la gorge un trait clair, fin, profond. L'ouvrir c'était comme changer de vie en un éclair, et cet éclair, je l'ai eu dans mes yeux, éblouissant, rapide comme une montée de fièvre. Un spasme inondé de noirceur. Tout à coup, c'était comme si j'avais pris la place de Dieu, celui qui donne et qui reprend. Le couteau n'a pas eu besoin d'en remettre, mon Edgar était mort. Ses yeux se sont ouverts et deux larmes raides et fragiles ont roulé sur le coussin bleu ciel, puis elles ont disparu dans le flot pourpré qui ruisselait sous sa gorge béante.

Je n'ai pensé à rien; seulement, j'ai pu dire : *je l'ai fait*. La violence est un moment en dehors des autres moments. Pour une poignée de secondes, c'est la métamorphose. J'ai enfilé un masque — ou peut-être l'ai-je ôté — et j'ai arrêté le mécanisme du temps. Mes peurs se sont enfuies, seule régnait la confiance, une grande sûreté. Je suis entrée dans un tunnel et je me suis laissée aller. C'était rapide, intense, sordide; mais d'une telle douceur.

Ne me réveillez pas non ne me réveillez pas attention je mords je vois rouge

Je me plais à croire que quand on meurt on ressent ce que j'ai ressenti au moment où j'ai enfoncé le couteau. Cette émotion inoubliable qui s'ensevelit avec le geste. Elle ne dure pas, elle ne peut pas durer. J'ai dit le mot *éclair*. Oui c'est un éclair, foudroyant et lumineux, un chaud-froid, un court-circuit, un frisson vertical qui vous brûle jusqu'à la chute des reins. Je pleure Edgar en mon for intérieur tous les jours, mais ce que je regrette plus encore, c'est de ne pas avoir été à la hauteur de cet éblouissement. Je n'ai pas réussi à conquérir l'éclair : il m'a échappé, il s'est évanoui. J'ai vu quelque chose, je peux même dire que pour un instant j'y étais. Mais brutalement j'en ai été exclue, interdite, jetée — je veux parler de cet éclair si pur et si trouble qui m'a frappée, que j'ai bien cru que c'était ça l'éternel.

J'ai marché le long d'une route recouverte de graviers, je voulais trouver un chemin isolé pour creuser tranquillement la tombe d'Edgar. Il y avait peu de monde, quelques voitures, quelques randonneurs, j'ai pris au hasard un sentier balisé et j'ai dévié légèrement : je me suis enfoncée dans la forêt. Les feuilles craquelaient sous mes pas, je sentais mille odeurs d'écorces humides ; les pins, les hêtres, les chênes, les cèdres, dont beaucoup me rappelaient la couleur d'Edgar : un marron obscur, tendre, incandescent, qui aux rayons du soleil offre des éclats blonds. J'ai marché longtemps, j'ai oublié combien de temps. Je me revois creuser la terre avec mes mains, les ongles souillés. La petite pelle à côté de moi était fendue. Je creusais, j'étais déterminée. Mais cela n'allait pas assez vite, le froid entravait mes gestes. *Je vais détruire le froid* est la phrase que j'ai prononcée (on peut parler dans la forêt quand on est seul avec son chien). Le rythme devenait fou, je ne maîtrisais plus mes gestes. Rien ne comptait que la profondeur du trou :

le trou devait s'élargir. Mon cœur palpitait, je donnais tant de ma force! Mais mon petit Edgar le valait bien. J'en avais partout de la terre, sur les mains, sur le nez, sur les joues probablement, et mes genoux brûlaient.

J'étais allée trop loin. J'ai su à cet instant que c'était trop grand pour moi. J'avais dérapé, j'avais disparu; et maintenant je revenais au réel. J'ai regardé le trou. Il était vaste. J'ai commencé à dire un Notre Père parce que c'était la seule prière que je connaissais. J'ai dit « Notre père, qui êtes au cieux... », je n'ai pas continué. Je n'étais pas dans cette prière. Je n'y ai pas cru. J'ai ouvert le sac, j'ai pris la puanteur en plein visage, de plein fouet — comme une gifle. Je me suis mise à convulser d'un chagrin sans larmes. J'ai crié : « Ah, sale chien! », je l'ai pris dans mes bras, et tant pis pour le sang. Puis je l'ai laissé. Mon petit Edgar, tu es tombé dans le creux, bruit sec, bruit court. Je ne t'ai pas regardé. J'ai enlevé ma veste de chasse sur laquelle coulaient des petits fils rouges et j'y ai caché mon visage. Tu n'imagines pas, Edgar, ma figure contre ton sang, comme je l'ai sentie se faire broyer. La douleur! Une part invisible de ce visage s'est détachée, ne m'appartenait plus, je l'ai sentie descendre avec toi dans la tombe — *se faire aspirer* est l'expression qui me convient —, et je crois, je peux le dire, que c'est un morceau de ma vie, de mon âme (peut-être!), Edgar, que tu m'as volé!

Trop loin, j'ai pensé. Trop fou. La chute après l'éclair. J'ai repris mon calme, ma froideur. J'ai dit :

« Assez. » J'ai cueilli un bout de terre, il m'a filé entre les doigts comme du sable ; et sur les poils sombres et mordorés de ma bête, j'ai jeté ce qu'il y avait dans ma main. Les couleurs, par surprise, se mariaient à merveille : la terre et Edgar se confondaient maintenant. J'en ai ri. Non je ne me souviens pas du retour.

Parfois je me dis que le meurtre d'Edgar est le point où ma vie s'est rompue. Peut-être le terme « contrariée » est-il plus judicieux : parfois je me dis que le meurtre d'Edgar est le point où ma vie s'est contrariée. Le moment du couteau dans la gorge, cet éclair, il est probable que cet éclair soit en réalité mon + 1. Mon grand-père a contrarié le mécanisme nazi en fuyant de Pologne à un instant T ; j'ai contrarié le mécanisme de mon existence en supprimant le seul être dont j'étais proche à un instant Y. Mon grand-père a échappé à la mort et moi je l'ai engendrée. Nos destins sont liés par elle, comme nous sommes liés par les nazis et par Edgar.

*

Je ne reviendrai jamais dans mon enfance, tout cela est terminé. Je pense à la fin d'un feu d'artifice, au moment où il disparaît brutalement dans la nuit, laissant d'infimes traces dans le ciel ; à cet instant de déception qui envahit le visage d'un enfant lorsque le spectacle se dissout. Tuer Edgar, ce fut déclencher un feu d'artifice. J'ai menti quand j'ai dit que je ne me souvenais pas du retour. Je me souviens que la lumière de mon feu d'artifice s'est évanouie soudainement. Je me suis sentie chuter dans un abîme ; celui d'une immense déception. J'ignore si c'est cela qu'on nomme le désespoir : une sorte de désert. Mais pas le désert du *Petit Prince*. Car dans le désert du *Petit Prince*, il y a un puits d'eau ; il y a de l'amitié. Sur le trajet de mon retour, il n'y avait pas d'eau, il n'y avait pas d'amitié : j'avais la nausée et le vertige, et puis je voyais flou. Mon seul ami était mort. J'avais incroyablement soif.

2

J'ai pensé : *Alma, il est temps que tu te lèves.* Alors je me lève. Je referme mon souvenir et je quitte le pont de Grenelle. Me voilà à nouveau sur la rive droite ; la rive où je suis née, où j'ai tué, où j'ai aimé, où j'ai cru que le monde n'était que le monde, qu'il n'y avait rien d'autre derrière, surtout pas de double fond ; où j'ai été aspirée par une profusion d'univers — je veux parler des mercredis passés devant l'ordinateur ou la télévision, à faire glisser mon imaginaire dans des jeux vidéo, avec Balthazar et notre bol de pop-corn ; je veux parler des courses de plat et de steeple de l'hippodrome d'Auteuil qu'on regardait depuis ma chambre, une grosse paire de jumelles sur le nez, qu'on s'arrachait, évidemment, pariant notre vie sur le possible vainqueur : chantages, défis, excès de pouvoir en tout genre.

On misait chacun sur un cheval, c'est-à-dire, sur un numéro. Balthazar gagnait sans cesse, je n'ai jamais su pourquoi. Le numéro qu'il choisissait terminait à chaque fois sur le podium, à tel point que j'ai fini un jour par me demander s'il n'avait pas un coup d'avance sur le temps : je veux parler du fameux almanach des sports de *Retour vers le futur,* que Marty McFly subtilise lors d'un voyage dans l'année 2015 pour le ramener dans l'année 1985. Ainsi, il a déjà tous les résultats des jeux à venir sous les yeux. La théorie de l'almanach des sports m'est apparue plausible pour le « cas Balthazar » — parce que c'était un cas, je dirais même : un mystère. J'imaginais Bal chiper un almanach des sports dans un voyage ésotérique et secret, spatio-temporel, pour le ramener (ni vu ni connu) dans notre présent. J'ai pensé que si cela était arrivé à Marty McFly, cela pouvait tout aussi bien arriver à mon frère. Choisir 4 fois sur 5 le cheval gagnant, l'échec ponctuel étant là pour écarter les soupçons, je ne pouvais pas laisser cela à la chance.

Pourtant, j'ai eu beau fouiller notre chambre — les lits superposés, les tiroirs, les boîtes à chaussures — je n'ai jamais trouvé d'almanach des sports. J'ai cru à l'existence de l'almanach car je croyais aux objets de *Retour vers le futur* au moins autant qu'aux objets du réel. Il n'y avait là aucun décalage, aucune dégradation. Ils n'étaient pas moins vrais, au contraire : je dirais même qu'ils étaient plus séduisants, plein de couleurs et de sensations. Ils étaient en avance sur le réel. J'attends toujours que le skateboard volant de Marty McFly soit commercialisé. J'ai confiance en la science, elle pourra bientôt nous l'offrir.

*

J'ai un moment de lassitude. Cela devait arriver. Lorsqu'on marche sans être attendu, il y a toujours un moment de lassitude. Je pourrais m'arrêter comme Forrest Gump, faire demi-tour et rentrer à la maison. Mais il y a un autre problème. Je n'ai pas de maison. En tout cas pas de maison telle que j'envisage la définition de *maison* : lieu où l'on se sent chez soi. Je suis en quelque sorte tombée dans mon piège ; « je suis dans la forêt » — lu cette phrase dans un livre, impossible de me rappeler le titre et l'auteur. Exactement dans la forêt. Tout se ressemble. Le monde est plat autour de moi. Je pourrais crier que personne ne m'entendrait réellement : le cri ne serait pas effectif. C'est l'impression que j'ai à cet instant : que mes pas ne sont pas effectifs. Je peux continuer à marcher, je peux reculer, je peux tourner à droite, à gauche. Je peux courir. Et alors ? Rien. Je vais le dire sans détour : les choses auraient probablement été plus simples si mon grand-père avait été exterminé, asphyxié au Zyklon B ou tué d'une balle dans la nuque, puis jeté dans une fosse. Car il y a un contrecoup au court-circuit. Ce contre-coup, nous pourrions l'appeler l'errance. Quand nous produisons un effet de court-circuit à un instant donné d'une vie, plus largement, à un instant donné du temps — quand nous produisons un effet qui devait ne pas avoir lieu —, la contrepartie est que nous perdons le sens du raisonnement. Il avorte, et avec lui la logique. Je suis en manque de sens. Il a été contourné. Non : il a disparu. Je crois que ce moment de lassitude est né il y a quelques secondes parce que je ne comprenais plus rien au sens de mes pas ; je ne comprenais plus rien au sens de mon corps sur cette rive, à cet instant donné. Quand je m'effondre mentalement, c'est parce que le sens m'est devenu inaccessible : je suis abandonnée par le sens, et donc, par toute logique.

Plus aucune logique

Échapper à la mort ne veut pas dire rester en vie : échapper à la mort, c'est entrer dans une nouvelle dimension. Mon grand-père a échappé à la mort, il n'est pas pour autant resté en vie : il est entré dans une nouvelle dimension. Je crois que j'y suis née. Vous aussi, d'ailleurs. Le 30 avril 1945, jour où Hitler s'est suicidé, nous avons basculé dans une nouvelle dimension. C'est comme mes joueurs de baseball en noir et blanc, mes joueurs américains de l'avant-guerre, qui posent en équipe pour la photographie annuelle de leur club. Eux, ils sont morts. Non, je rectifie : leurs corps sont morts. Mais leur présence et leurs visages sont toujours disponibles, ils le seront tant que leurs photographies demeureront sur Internet : dans le virtuel. Le 30 avril 1945, l'humanité a perdu de son sens : si nous avions pu tuer nous-mêmes Adolf Hitler, nous aurions pu sauver le sens du monde. Ayant échoué devant son court-circuit, nous avons changé de monde. Nous sommes entrés dans le monde de la perte du sens. Je pense qu'il faudrait maintenant lui trouver un nom : il faudrait nommer notre monde.

Je marche encore, je ne me suis pas arrêtée, même si j'en ai presque ressenti l'envie. Comme je vous l'ai dit, je n'ai nulle part où revenir. Je cherche un mot aussi universel que « vie » et « mort », aussi simple, aussi attrayant. J'ai dit : *universel*. Ce mot m'a frappée. Il n'est pas vraiment à mon goût. Et pourtant *universel* est le bon mot. Il nous faut un mot universel pour désigner la dimension où est entré Adolf Hitler le 30 avril 1945, et où nous l'avons suivi.

Et voilà que j'ai pensé à la chose la plus simple ; à un mot que je connais depuis l'enfance. J'ai pensé au mot *oubli*.

NOTRE MONDE VIT DANS L'OUBLI

Avant le 30 avril 1945, il y avait deux lieux : la Terre et le ciel. Il y avait le monde des vivants et le monde des morts. Le jour du suicide d'Adolf Hitler, le jour où Hitler a fait échec et mat sur notre humanité, nous nous sommes évanouis l'espace d'un éclair, et quand nous nous sommes réveillés, nous étions dans un nouveau monde : nous étions dans le monde de l'oubli.

Nous y sommes

Dans l'oubli, le réel et le virtuel s'entrechoquent ; les vivants et les morts se côtoient. La technologie et les corps se confondent. Le mot *humanité* a changé : la science, les machines et les hommes se rencontrent : ils fusionnent. Le réel et l'imaginaire, le visible et l'invisible, la mémoire et l'oubli, tous ont la même place. Le passé et le présent se rejoignent : le temps n'est plus une courbe, une frise qui défile dans la mémoire. Le temps est comme le monde : il fonctionne selon le modèle du cercle. Je lis *Lolita*, je joue à un jeu vidéo, j'écoute Bach, j'oublie, je me souviens, je regarde un match de baseball, j'écoute Michael Jackson, et je suis incapable de vous dire qui est le premier à avoir vu le jour dans mes pensées et dans l'Histoire. D'ailleurs, cela ne m'intéresse pas : je passe de l'un à l'autre. Tout va dans l'oubli : mes peurs, ma fatigue, mon grand-père, les 6 000 000 de Juifs exterminés, les 8 autres millions, les miraculés de la guerre et des génocides, les exilés, et puis mes joueurs de baseball, et aussi les nazis, mon enfance disparue, le meurtre d'Edgar, les chevaux sacrifiés sur les champs de courses. Les morts, les vivants : nous sommes tous dans ce même espace où la mémoire, sans cesse, s'évanouit.

Je ne peux pas m'empêcher de penser que c'est là une chance et une condamnation. Perdre la mémoire de son passé, c'est avoir la possibilité de démarrer de zéro : vivre libre. Libre mais hanté par l'ignorance de ce qui, un jour, a été. Je voudrais faire de mon ignorance ma grande occasion d'espérer.

*

Je viens d'évoquer les nazis. Parlons-en. Car effectivement ils ne sont pas tout à fait morts. Non. Je dirais même qu'ils pullulent. Mais la question que je devrais poser est la suivante : qu'est-ce qu'être nazi ? Être nazi, est-ce seulement vouloir la disparition des Juifs ? Il est vrai que je ne me suis jamais réellement posé la question. Je ne me suis jamais dit : *Alma Dorothéa, qu'est-ce qu'un nazi ?* Il faut dire que le monde ne m'a pas beaucoup aidée. Le Petit Prince demande à l'aviateur : « dessine-moi un mouton », le Petit Prince ne demande pas à l'aviateur : « dessine-moi un nazi ». Je me suis mise à sourire — j'ai tendance à sourire quand mon cerveau va trop loin. Je suis rue Jean-de-La-Fontaine. Mes pas connaissent si bien le chemin que je n'ai même pas besoin d'y penser. La mémorisation humaine de l'espace peut être remarquable.

Alors, qu'est-ce qu'un nazi ? Laissez-moi quelques secondes. Je pourrais définir, d'après la rumeur lointaine et populaire, que le *nazi traditionnel* veut éradiquer les Juifs, les aristocrates, et tout ce qui n'est pas affilié à la norme, ou de race non blanche, ou ce qui est vieux — inefficace en matière de productivité. Le *nazi traditionnel* revendique la force et la vigueur. Mais je sais que je ne suis pas allée assez loin. J'en suis restée à la rumeur ; à la définition égarée du mot « nazi ».

Qu'est-ce qu'un nazi ?

Je m'arrête. Je crois un instant avoir soif ; c'est une illusion. L'envie me prend de hurler dans ma tête. Je ris intérieurement. Je suis prête. Et cela maintenant je le pense : je crois qu'un nazi aime le bruit aime la mort aime mettre à mort réduire à néant le temps les généalogies. Il tient à la disparition qu'il ne reste plus rien que ce soit pur sans les hommes les animaux les végétaux le nazi aime ce qui brûle asphyxie dévore il déteste le ralentissement il veut de la jeunesse de l'intensité parce qu'il a peur de mourir et encore plus de vivre la blancheur est son horizon. Il veut la victoire.

Savoir que nous vivons dans l'oubli n'est pas une évidence : mais la difficulté n'est pas tant de le comprendre que de l'accepter, car un monde d'oubli n'a pas de réelles limites quant au pouvoir de la mémoire, oui, vivre dans l'oubli, c'est aussi attendre de se souvenir, et quand vient le souvenir, comme un fantôme sauvage, c'est avec une innocence débordante d'étonnement — un va-et-vient du passé aussitôt recouvert par le puissant. Je ne dis pas que cela n'est pas sombre, l'oubli fait de notre monde un lieu sombre et aride. C'est un monde plat où le bien et le mal sont une seule et même chose.

J'ai été très tôt bercée par les écrans : enfant, j'ai vu que le réel vacillait ; qu'il n'était pas solide. Et peut-être aussi qu'une part de moi-même a détesté le mensonge de l'ancien monde ; celui de la bonne vieille *réalité*. Dans les jeux vidéo c'est mieux, dans les livres c'est mieux, dans les sports c'est mieux, dans mes rêves c'est mieux, dans mon imagination c'est mieux, dans les publicités c'est mieux, dans les écrans c'est mieux. Par mieux, j'entends : potentiellement grandiose. Or l'oubli donne toute sa place au virtuel. Et pour cette raison je peux le dire : nous vivons une époque éblouissante.

*

Il est vrai que je regrette un peu d'avoir jeté Edgar dans un bac à ordures avec son coussin bleu, comme un vulgaire déchet. J'aurais préféré l'enterrer dignement dans la forêt de Compiègne. Mais parfois les choses ne se déroulent pas selon nos plans. L'illusion est une part importante de mon être, je ne la néglige pas. J'ai eu l'illusion du courage, à savoir que j'ai cru que j'aurais le courage d'enterrer dignement mon chien dans une forêt « profonde et majestueuse », puis je me suis laissée aller subitement à la facilité — le bac à ordures dans la cour de l'immeuble — et en ce sens-là je peux dire que j'ai échoué devant mon illusion. Mais qu'importe puisque je peux refaire l'histoire de toutes les manières possibles : d'ailleurs je l'ai refaite.

Ce qui serait terrible dans mon cas, ce serait de souffrir d'un manque d'inspiration. Mais je ne souffre jamais de manque d'inspiration. Je pourrais même dire que l'inspiration est une des seules qualités dont j'ai été dotée. Ai-je peur que le robinet s'arrête de couler un jour ? Non. Car je ne suis pas le robinet ; ni même l'usager du robinet. Je suis l'eau qui coule de ce robinet. Je viens de plus loin que lui et de plus loin que ses canalisations.

Je ne peux pas disparaître sans que le monde disparaisse avec moi

J'aurais pu faire un effort et enterrer mon chien dans un lieu pittoresque. J'ai eu la flemme, voilà la vérité. Une médiocre flemme de dernière minute. Et aussi j'ai eu peur. J'étais triste. Je voulais presque mourir : je voulais oublier. Et puis je ne pouvais pas rater la course. Nous n'étions pas en novembre, il ne faisait pas froid ; il faisait presque chaud. Ce dimanche était le jour de la course annuelle du Grand Steeple-Chase de Paris : hors de question que je manque un tel événement.

Je n'ai jamais aimé Edgar. Je voulais simplement que lui, il m'aime. N'est-ce pas à cela que servent les chiens ? Oui, c'est à cela que servent les chiens : à donner de l'affection. Nous adoptons ou achetons un chien pour recevoir de l'affection ainsi qu'une certaine forme de fidélité. Car, je le répète, nous sommes seuls au monde.

*

La rue Jean-de-La-Fontaine n'est ni belle ni laide. On ne se croirait pas dans le XVIe arrondissement, plutôt dans une ville de province de bourgeoisie moyenne où il ne se passe rien. Beaucoup d'immeubles des années 30, 60, 70, 80, et quelques haussmanniens qui font grise mine. Je pense que ce serait un triste endroit pour mourir. Qui a dit : « on meurt comme on a vécu »? Je l'ignore. Il faudra que je trouve pour mourir un lieu qui sort de l'ordinaire. La rue Jean-de-La-Fontaine ne sort pas de l'ordinaire, c'est ce qui me rend triste en l'arpentant. Je pourrais mourir devant une falaise; ou sur un champ de courses. Tous ces gens exterminés n'ont pas eu le choix. Ils sont morts au bord d'une fosse, d'une balle dans la nuque; ou même dans la fosse, s'ils n'étaient pas morts sur le coup. Gémissants, recouverts vivants, en pleine agonie, par une terre de couleur semblable à celle d'Edgar; ou dans une chambre à gaz. J'ignore laquelle de ces trois morts j'aurais choisie si le choix avait été possible. C'est une pensée qui m'intéresse. Je crois que j'aurais choisi la balle dans la nuque, au même titre que la plupart des gens — c'est ce que je suppose. Mourir asphyxié par le gaz ou par la terre est une vie en soi. Les secondes doivent être longues comme des années. Je me demande à quoi l'on pense à cet instant. Peut-être que l'on ne pense plus; peut-être qu'enfin on arrête de penser. Parfois j'aimerais m'arrêter de penser. Je suis inconsolable. Jamais ne pourrai oublier. Je tente de réfréner ma haine des nazis avec une telle force. J'aimerais avoir autre chose que la haine pour sentiment, mais je n'y échappe pas. C'est bel et bien de la haine que j'éprouve. La haine n'a aucune limite. On dit qu'elle est comme l'amour.

Je ne sais pas si je crois à l'amour, je ne sais pas si je peux aimer.

J'ai fait sortir la haine de mon corps : elle était à l'intérieur, et un beau matin — le matin de mon douzième anniversaire —, elle est sortie et elle a tranché. Mais il y a pire que le fait de ne pas pouvoir oublier : il y a le second fait de ne pas pouvoir comprendre. Je n'ai toujours pas compris pourquoi les nazis ont réellement voulu en finir avec les Juifs. Je crois que je ne le comprendrai jamais.

On m'a suggéré qu'il n'y avait rien à comprendre, mais c'est faux. Il y a pertinemment quelque chose à comprendre, pour tout événement, pour tout geste, pour toute parole. Peut-être alors que si on m'expliquait de but en blanc pourquoi les nazis ont voulu rayer le peuple juif de notre monde, je pourrais me calmer un peu et arrêter les excès. Je voudrais qu'on me dise : « Alma, je vais vous expliquer pourquoi les nazis ont voulu supprimer votre grand-père et vos ancêtres et ainsi vous empêcher de voir le jour. » Oui, je veux comprendre pourquoi on a voulu m'empêcher de naître. Je veux comprendre pourquoi je suis le résultat d'un court-circuit qui a momentanément mis à mal l'*Aktion Reinhard* — « au cours de laquelle plus de 2 000 000 de Juifs ont été exterminés en Pologne, ainsi que près de 50 000 Roms, entre mars 1942 et octobre 1943 » (tel qu'on peut le lire sur Internet ; je l'ai appris par cœur) — et l'a fait partiellement échouer : j'aimerais comprendre pourquoi je suis le résultat d'un exil.

144

Comprendre c'est mourir

La nuit est définitivement close. Le ciel est clair. Je crois pouvoir dire maintenant que je n'ai plus peur de mourir, au moins jusqu'à ce soir, et me voilà débarrassée d'un poids. La lumière joue un rôle essentiel. J'aimerais savoir si l'on exterminait davantage la nuit que le jour. Je crois qu'on exterminait davantage le jour que la nuit, mais après tout je l'ignore. Tout ce que j'ai entendu sur la Shoah, tout ce que j'ai vu, tout ce que j'ai lu : il s'agissait peut-être d'un rêve. Il se peut que j'aie fait un cauchemar et que maintenant je me réveille.

Oublions la Shoah

Ma seule préoccupation est d'arriver à Auteuil. Je veux aller à l'hippodrome, m'oublier dans la course, croire au cheval que j'aurai élu. Mais avant je veux passer devant ma maison ; je devrais dire : devant *notre* maison. La maison d'Edgar, la maison de mon frère, la maison de maman et papa — cela fait très longtemps que je n'ai pas prononcé ces mots — notre maison, celle où nous avons dormi, pleuré, hurlé, ri.

Non, je ne veux pas y aller. Car, si j'y réfléchis, je n'attache aucune importance aux lieux. J'ai été tentée de croire le contraire jusqu'au jour où je me suis rendu compte que les murs n'entretiennent aucun lien avec ceux qui les habitent. J'avais imaginé un lien mais ce lien n'existe pas, il est pure illusion. Il en

145

va de même pour certaines catégories d'individus. N'allez pas croire que les nazis ont ressenti ne serait-ce qu'un remords en massacrant leurs victimes, dans les forêts, au bord des ravins et des fosses, ou dans les chambres à gaz — un tel remords a toujours été illusoire. Comme les êtres qui basculent, les nazis sont entrés en guerre avec l'émotion. Entrer en guerre avec l'émotion, c'est rompre les liens.

*

Il est un fait que le pays où s'est exilé mon grand-père n'a pas accueilli que des victimes. L'Argentine a exflitré des grappes entières de bourreaux. Il n'y a qu'à Buenos Aires que vous auriez pu surprendre Adolf Eichmann et Josef Mengele dégustant un café à côté de clients juifs. Si j'effectue correctement le calcul, mon grand-père et Eichmann ont vécu dans la même ville pendant 7 ans, entre 1953 et 1960, soit environ 2 555 jours à propos desquels je suis en état de conclure qu'ils se sont sans doute croisés à plusieurs reprises. Dans un restaurant, une boulangerie, un square, une rue quelconque du centre-ville, un magasin de chaussures ou chez Harrod's, rue Florida, chez le marchand de journaux, au café Tortoni ou à la Viela, près de la table de Borges. Peut-être se sont-ils bousculés par mégarde ou ont-ils seulement soutenu un regard. Il est même statistiquement raisonnable de penser qu'un après-midi de l'année 1953, sans le savoir, mon grand-père, Adolf Eichmann et Josef Mengele ont commandé au même moment un café serré accompagné d'un *alfajor* fourré à la confiture de lait dans la petite salle lambrissée de la confiserie *Zurich*, sur les hauteurs de Belgrano, là où vivait mon grand-père. Enfant, je suis allée d'innombrables fois chez *Zurich* boire un verre de lait froid, lors des belles journées d'été, après le square. Mon inculture d'alors m'épargnait tout rapprochement obscur.

3

J'arrive porte d'Auteuil, au bord du périphérique. Il y a le son des voitures, des arrivées, des départs : c'est agité pour un dimanche. Je m'engage dans un petit sentier, derrière la bouche de métro. C'est presque la nature : ce n'est pas la nature. Il y a des gens qui courent. Je vois des tenues de sport, des écouteurs, l'odeur de la sueur mêlée au vent frais du mois d'avril vient me frôler par intervalles. Entretenir son corps est une possibilité : je dirais même que c'est une décision. J'ai renoncé à entretenir mon corps il y a quelques années, lorsque j'ai définitivement arrêté le tennis. J'ai fait là une erreur : entretenir son corps, c'est se maintenir en vie. Je me suis laissé avaler par mes pensées et mes raisonnements et j'ai *oublié* mon corps, comme j'ai *oublié* mes chaussures. Il se peut qu'un jour je recommence à faire du sport ; c'est un rêve possible. Cependant je crois que jamais je ne pourrai revenir à la pratique du tennis et à la pratique du sport en général. J'aurais aimé oublier mes pensées : non pas oublier mon corps. Il est vrai que le sport fait oublier beaucoup de choses. Je crois que faire du sport, c'est s'oublier. Le sport est une pratique estimable, elle n'est pas à négliger. En ce qui me concerne, j'ai négligé la pratique du sport, et voilà que chaque jour je le regrette.

Le sport était important pour les nazis. Hitler a tenu à ses jeux Olympiques berlinois en 1936. Tout y était : la *Marche d'hommage* de Richard Wagner, les innombrables bras tendus vers le ciel, ainsi que l'espoir, bien sûr, de gagner. Je n'oublie pas la cérémonie de la flamme olympique, qui a eu lieu pour la toute première fois. Nous perpétuons encore aujourd'hui le mythe de la flamme. Il nous vient des jeux de 1936 : il nous vient des jeux suivis de près par Adolf Hitler. Je crois vous l'avoir dit, tout se rejoint.

Je suis maintenant devant l'hippodrome ; c'est incroyable. Tout ce voyage, ces pas. Une voix intérieure me parle, elle dit que je l'ai fait. Ma fatigue est violente, elle me pique et me brûle cependant je continue : je continuerai jusqu'à ce que continuer soit devenu inutile. Ne me demandez pas pourquoi. Je l'ignore. Il doit être environ 14 heures. Le ciel est couvert de nuages et aussi de nuances amassées les unes sur les autres. Elles varient du presque noir au presque blanc. En d'autres termes la pluie me paraît inévitable mais je suis incapable de dire à quelle heure elle va tomber, même si une chose est sûre : bientôt je pourrai dormir. Je veux dire, m'enfuir par la porte des rêves. La conclusion que je tire de cette pensée est *oublions donc la fatigue car elle aussi disparaîtra.*

Le portail d'entrée de l'hippodrome d'Auteuil est une grille en fer, ce qui crée une délimitation remarquable. Il y a « avant l'hippodrome » et « après l'hippodrome » : ce genre de sensation. Elle naît clairement de la présence de cette grille. La suite logique de cette sensation est le sentiment que l'hippodrome n'est pas de ce monde. Je suis dans l'hippodrome c'est comme dire : je suis dans un autre monde. J'entre dans l'hippodrome d'Auteuil. On me regarde mais on ne me demande rien. Je viens de franchir le portail, par conséquent je peux dire : je suis dans un autre monde.

Il y a un parvis devant l'entrée des tribunes. Je suis sur le parvis. Je vois un manège pour enfants ; c'est un petit carrousel à côté d'un stand de crêpes, comme à la fête foraine. Le petit carrousel ne tourne pas encore. Peut-être qu'il ne tournera pas aujourd'hui en ce dimanche de grande course car il n'y aura pas assez d'enfants. Il faut une masse d'enfants non négligeable pour rentabiliser le manège, mais parfois je me trompe. Voilà. Regardez, un bambin blond perdu dans les allées d'Auteuil : je le vois, il est derrière son père, il peine à le suivre, il n'a pas l'air heureux. Il est là, il existe. J'ai les idées claires, seulement je vois trouble comme si mes paupières renonçaient avant de reprendre d'instinct leurs battements — tout cela en l'espace de deux secondes. Non, pas trouble : je vois saccadé et je pense saccadé. Ce bambin, on dirait Balthazar quand il avait 5 ans. Oui je mens, ma nostalgie me joue des tours. Ils n'ont rien à voir, rien du tout. Bal avait les cheveux châtains et les yeux bleus comme la mer. Moi j'étais blonde comme les blés. Le temps nous ôte ce qui scintille. Voyez mes cheveux, ne reste rien de ma blondeur sinon quelques reflets cuivrés sous le soleil de midi et les racines au bord du front demeurées, claires : c'est tout. Le petit manège, si personne n'est là pour le repeindre, finira lui aussi par ternir. Rouiller, même. Mais cela qui va vous le dire? Maintenant il est là, il brille, il tourne. Il est beau. Je l'avoue, j'ai adoré les manèges du temps que j'étais blonde. Bal avait les yeux bleus comme l'océan pas comme la mer. La nuance est mince mais elle a lieu. L'océan est plus pur plus profond plus sombre, c'est ce que je crois.

Si on m'avait laissé le temps j'aurais pu faire 10 tours, 15 tours, à chevaucher les petits pur-sang de bois. Descendre, monter, descendre, tourner, jusqu'au vertige. Et après, une glace ou une barbe à papa. Jamais de fatigue dans les fêtes foraines, on vit, on est ivre, on gagne à tous les jeux. Canne à pêche, tir aux pigeons, chamboule-tout. Même les jeux auxquels on perd on finit par y gagner, parce qu'on y rejoue. Des peluches, toujours des peluches. Les bonbons, je les donnais à Bal, je n'aimais pas les bonbons. J'ai cru aux fêtes foraines. Univers débordant de promesses! Le but : gagner. Tout était compréhensible. Les courses de chevaux, c'est semblable. Le but : gagner. Et si on perd on rejoue. Être numéro 1. Au pire numéro 2, numéro 3. Ne me demandez pas pourquoi j'aime gagner, je l'ignore.

Il fait presque bon, je suis en tee-shirt, j'ai offert ma veste légendaire à la poubelle près du manège.

Comme ça, j'en ai eu envie. Je le regretterai un jour. Non je ne regrette jamais rien. Si j'avais été battue dans mon enfance comment le saurais-je ? Oui comment le savoir. J'oublie, je me souviens, j'oublie, jusqu'au vertige. Le carrousel près du Trocadéro je l'ai connu, je le revois. Le dimanche avant le bain j'avais droit à un tour. Le bain : cette souffrance. Se laver, se défaire. La crasse c'était le confort. Referme le passé, Alma. Je ne serai jamais comme vous, je viens de le comprendre.

Je dois choisir mon cheval, choisir mon numéro. Il faut que je me concentre. J'ai voulu croire à l'existence d'une explication rigoureuse concernant la signification de ma vie. Là je me suis trompée. Cela étant dit je peux tout faire entrer dans l'oubli : il accepte tout. Nous allons mourir mais nous allons demeurer dans le monde de l'oubli. Je prends les noms je prends les corps je prends les souvenirs : je les enferme. C'est un royaume éternellement mémorable, je le décide.

Il se peut que je n'aime pas les solutions. Peut-être que ce que je veux c'est baigner dans l'ignorance et nager dans le néant de cette cruauté de monde, je veux que le cheval que je vais élire gagne la course, je veux ressentir un frisson au moment où il franchira la ligne. Maintenant je peux dire que je suis fiévreuse, que je vois rouge, que je suis excitée, presque engourdie par l'idée d'une victoire et mes nerfs sont en feu, avant j'avais menti : évidemment que je veux réussir, quoi d'autre ! *Réussir* et *gagner* sont des mots qui me conviennent. Je dirais même qu'ils sont certainement les seuls mots auxquels j'ai toujours cru. Aussi loin que je puisse remonter dans le temps, il ne s'agissait que de cela. Nous manquons de forêts, je viens de le comprendre. Où est la forêt près de cet hippodrome? Car après les courses nous devrions pouvoir danser toute la nuit dans une forêt — nous l'appellerions la forêt d'Auteuil —, il faut seulement replanter des arbres par milliers en simulant une plantation aléatoire et sauvage. *One more time* de Daft Punk serait diffusé sur d'immenses enceintes accrochées à des hêtres, donnant ainsi l'illusion de tomber du ciel. Nous pourrions imaginer la musique de Daft Punk, nous ne serions pas obligés de l'entendre réellement. Nous pourrions la reproduire dans notre tête parce que c'est simple : elle est ancrée dans les mémoires de deux générations.

Je regarde les gens, leurs vestes. Matelassées, imperméables, huilées, il y a du beige, du marron Edgar, du bleu marine, du vert Empire et asperge. Pour les tissus, j'aperçois du velours côtelé et du tweed, un peu de laine, de coton, de viscose, quelques chapeaux, quelques robes, quelques jupes claires, rouge, rose, cyan (elles me repoussent), et puis des bérets, des cravates, des polos, et pour les pieds, probablement un mélange de Berluti et de Reebok.

*

Navrée de voir que l'orage approche. Le ciel se couvre de noirceur. Il reste toutefois de petits éclats de lumière. « L'herbe est tellement souple ! Espérons que la pluie attendra le soir, hein Glory ? » — un propriétaire vient de passer derrière moi accompagné de son pur-sang. Il lui tapotait l'encolure avec ferveur. J'ai senti une odeur de cheval. Le cuir, l'avoine, les écuries. Je n'ai pas ressenti d'émotion. Pourtant, j'ai vu clair. Cela a duré 3 secondes. C'était fort, c'était puissant, mais comment vous le dire... c'est impossible à expliquer. Comment expliquer la sensation de la foudre à qui n'en a pas été frappé ? Il y a une limite à la langue, c'est un vrai problème — je passe la main à l'invisible. À côté de cela, le Glory ne faisait pas noble, or un cheval doit se tenir, *avoir une superbe* comme disait mon oncle.

Je suis allée au stand d'informations où j'ai volé un programme. Je l'ouvre, je vais choisir mon cheval, je vais choisir mon numéro. La course du Grand Steeple-Chase de Paris est prévue à 15 h 20. Nombre de chevaux en course : 16. 5 800 mètres. 23 obstacles. Je regarde d'abord les noms des chevaux, c'est ma priorité. Ensuite, la couleur des casaques. Enfin, le nom des propriétaires puis celui des jockeys. Je ne suis pas une professionnelle : je suis un être à la dérive. Un peu comme une feuille de frêne recouverte de boue qui s'oublie le long d'un fleuve. Je pense à Wolfgang, uniquement à Wolfgang, tandis que je me renseigne sur les noms des chevaux. Sa physionomie, sa grâce, ses possibilités, tout me revient. Il est mort. Je le pense, je veux le dire : c'est scandaleux. Et puis soudain je vois le 7e cheval, son nom commence par W, mon sang ne fait qu'un tour, mes yeux se figent, je lève la tête vers les tribunes. Je prononce à voix haute : « Werther du Soleillage : numéro 7. » Casaque à losanges bleus et jaunes. Werther du Soleillage. Wolfgang. Werther. Wolfgang.

Le soleil n'est pas une planète. Le soleil est une étoile qui brûle. *Un réacteur à fusion nucléaire fonctionnant depuis 5 milliards d'années*, je n'oublierai pas cette phrase entendue en classe de 4ᵉ lors d'un cours de physique. Ils dormaient, ils s'envoyaient des mots, ils faisaient les fous : j'étais éblouie. Les scientifiques ne sont pas sûrs à 100 % que le soleil continuera de brûler demain : ils sont incapables de jurer qu'il brûlera. Aujourd'hui je verrai le soleil brûler. Mais le soleil peut s'éteindre : il peut y avoir un court-circuit. À cet instant je crois que même si le soleil s'arrêtait subitement de brûler, la course aurait quand même lieu. Parce que tout le monde est comme fou : rien n'est plus important. Chacun son cheval, son numéro.

Je suis allée voir Werther du Soleillage au rond de présentation. Il m'a paru respectable, je pense, possiblement vainqueur. Robe baie — couleur Edgar, reflets dorés —, le regard alerte, un chouia hautain, dans l'ensemble un peu distrait mais j'ai cru qu'il réservait son attention pour les obstacles. Moi, je réserve mon attention pour la course. Mes derniers battements de cils, mon ultime soupir. Après je pourrai peut-être dormir. Je dis « peut-être » car je ne suis pas sûre que je pourrai fermer les yeux et mettre mon cerveau en veille : quitter cette nuit ce jour ce monde. C'était tellement long — ce n'est pas terminé — c'était tellement long que j'ai cru périr. Je ne vous l'ai pas dit, pas dit à quel point je l'ai cru. Je suis là maintenant. Je ne me sens pas dans le réel, bien plutôt dans l'antichambre d'un rêve. Il est possible que je dorme : comment saurais-je si je dormais ? Non je suis éveillée — le champ est devant moi. Je n'ai plus qu'à effectuer 50 mètres, 50 pas si je les ose : je le peux, je les ose. Pas envie de tribunes. Elles sont trop loin de l'action. Je m'arrête devant la balustrade blanche au bord du champ : au plus près des chevaux. Je sens l'odeur de l'herbe, humide, fraîche, foulée, meurtrie. Les jardiniers sont en train de retourner les mottes. Ils avancent en rang d'oignons. Ils sont 5. Ou 4. Ils sont 3. Je m'approche. Je suis là, les coudes posés sur la balustrade. Les photographes entrent sur le champ. Ils marchent lentement, c'est par habitude.

*

Le 4 avril 1943 à 14 h 16. Est-ce que vous vous souvenez ? Comment oublier, oui je me souviens. Je l'ai su grâce à cette merveilleuse invention — Google —, sinon comment aurais-je pu le savoir ? Personne ne me l'a dit, personne ne me l'a raconté. J'en ai vu des images. Des gens courir. Beaucoup de noir et blanc. Beaucoup d'éclats d'obus devant les tribunes, et même sur le champ. 7 morts. 40 blessés. Ce n'était pas loin d'ici : non ce n'était pas loin.

Perdre sa vie aux courses

Il n'y a pas que les chevaux qui perdent leur vie aux courses : 7 vies humaines perdues aux courses. Bombardement allié : américain. Je mettrais ma main à couper qu'au moins un des pilotes qui ont mené l'attaque était un fou de baseball. Un fou de baseball a tué un fou de courses. Voyez comme tout se rejoint, toujours. Par exemple : moi j'aime le baseball, j'aime les courses, je suis là maintenant. Et je me souviens du 4 avril 1943 à 14 h 16, instant que je n'ai pas vécu.

Soudain, spectateurs et promeneurs entendirent un bruit de moteurs d'avions dans le ciel clair, et presque aussitôt des bombes allaient tomber en sept ou huit points proches de l'hippodrome. Les batteries de D.C.A. installées sur le champ de courses étaient entrées aussitôt en action, et la foule, après un très court instant de panique, avait gagné les couverts du Bois et les quelques abris voisins. Hélas! cette journée de grand soleil et de beau sport aura été aussi une journée de sang et de deuil.

C'est comme si j'avais entendu ces phrases à la radio alors que je les ai lues dans le journal du 5 avril 1943. Les informations sont disponibles, il suffit de sonder les crevasses. Et puis surtout d'attendre : attendre est une excellence chose, quoi qu'on en dise. J'attends la course. J'attends le sommeil, j'attends l'amour, j'attends la vie éternelle, j'attends de retrouver mon chien, j'attends les bombes, j'attends la fin de tout. Avez-vous un jour cru à ce que j'ai pu vous dire? Non, je n'attends rien. J'ai abandonné l'attente le jour où j'ai fichu mon labrador à la poubelle avec son coussin bleu. On s'ennuie de tout. Bientôt, je passerai mon permis, je prendrai une voiture, je me ficherai bien de la couleur et du standing et je roulerai en France, en Allemagne, en Italie, puis je prendrai le ferry jusqu'au Cap Cod. Heureusement que les Américains conduisent à droite, je n'aurai pas à changer de voiture. Il suffit de ne pas mettre les pieds en Angleterre.

Les chevaux sont prêts. Sous les ordres. Ça monte, ça vient. La fatigue. Je résiste. Je ne suis plus d'abord dans mon corps et ensuite dans le monde. Je suis d'abord dans le monde. Je vois mon cheval là-bas, mon Werther, mon Soleillage. Étonnant comme il ressemble à Wolf. Ce n'est pas dans la robe : c'est dans l'allure. Le groupe se resserre. Un dernier vœu pour mon numéro 7. Le starter brandit le drapeau rouge, j'ai des étoiles dans les yeux. Lâcher des élastiques.

Et voilà que je remarque un terrain de baseball au loin, derrière le champ. La légende du baseball Lou Gehrig surgit du néant. *Alma, reviens*, je murmure. Ma concentration est mise en péril. Pourtant je le vois, je vous le promets. Il est grand, il porte une chemise rayée de gris et bleu, sa casquette des Yankees, le gant dans la main droite serre une balle immaculée dont la blancheur absolue scintille sous la lumière du ciel. Je me fais violence, je fixe mes yeux sur le départ : quoi de plus séduisant que l'envolée d'une épreuve...

Une simple haie pour ouvrir la course : petite mise en bouche, petit échauffement, jolie fourberie. Débuter en douceur pour ensuite mieux souffrir : perversion. La haie vous fait croire que l'aventure sera heureuse et pacifique. Les chevaux sont déjà loin et, au deuxième obstacle, la désillusion pointe : une double barrière augmente par deux fois la hauteur de la haie ; mesdames et messieurs, nous appelons cela un saut qualitatif, mais il y a pire, bien pire, oh oui : le *bull finch* se profile. Dans les tribunes, on serre les dents. La mort est là, toujours prête à surgir, les encolures sont menacées, je pense à Wolf, son éclatante superbe, son inoubliable beauté, sa performance, et le trépas... Quel souvenir !

Le tapis de selle de Werther est blanc comme une balle de baseball, le 7 est noir comme un abîme. Nos chevaux viennent d'achever le premier tour, c'était cursif. Ils franchissent maintenant l'*oxer*. Nous avons un premier blessé : le 14 s'effondre, et c'est une ambition qui s'éteint, possiblement des pleurs — une pensée pour le propriétaire — mais nous continuons, plus que jamais le feu de la foi brûle. Le prince Werther du Soleillage franchit la *rivière des tribunes* : les pur-sang volent au-dessus de l'étang, celui-ci se trouble puis explose en mille gouttes. Cette course est un art ; éclaboussures en furie, atrocité de l'épreuve et légèreté de l'instant — violence courage boue poésie. Encore une petite haie, on appelle cela une pause, une trêve, une récréation. Les chevaux s'enfouissent au fond du champ à droite, on ne les voit plus, je me rabats sur l'écran, sur les arbres, sur le ciel, sur l'avenir, je les imagine tous! Le steeple c'est de la terre de l'eau du feu, mais demeure toujours le ciel. 8e obstacle, encore un talus. Le steeple, je le vois vert et gris. Comme je me sens déchirée! J'attends le moment d'après : l'explosion du cœur et la libération. Le parcours se complique, j'aimerais pouvoir pleurer, l'arrivée du *brook* fait déchanter les tribunes, j'ai peur et nous tous, nous avons les chocottes, la frousse, ensemble dans le tourment, les yeux rivés sur cette patinoire verte — je ne veux pas perdre mon cheval, pas cette fois, pas encore, pas maintenant!

Nous perdons les seules choses auxquelles nous avons cru

Werther, écoute-moi bien, concentre-toi : ne me laisse pas seule! Si le cœur et les tendons sont solides, nous devrions pouvoir tenir... *Brook* était facile, trop facile pour W. L'obstacle qui suit nous attend de pied ferme : pour sanctionner. *Gros open ditch*, tel est son nom. En français : *prends ça si t'oses*. C'est un gros truc, débordant de hauteur et de méchanceté, comme une montagne en toc — prouesse de l'homme, et je m'incline — mais décidément rien n'arrête mon beau champion : il le terrasse comme le moteur d'une fusée Ariane pulvériserait le sol! Le jeu continue, obstacle suivant, oh là là, j'ai perdu tout sérieux...

Mur de pierre, vas-tu nous faire tomber dans le cauchemar de la culbute, douloureux souvenir de l'impossible éternité? — oui nous allons mourir, et peut-être les sabots de mon espoir vont-ils buter contre ces briques — je dis *non Werth'* et je pense *non Werth'* : ne succombe pas à l'offense! Gare à la trahison : interdit de me lâcher. Mais au fond je ne m'inquiète plus : 2 900 mètres et pas la moindre égratignure. C'est un triomphe : je me sens ivre, bercée par le tourbillon de la vitesse et par le souffle rythmé des naseaux — trains à vapeur, calèches endiablées sur routes graveleuses —, ça saute, ça galope, ça saute encore, ça oublie jusqu'aux regrets! Je ne vois plus, je ne sais plus, je renie même mon premier jour, vie folle, nom de Dieu, ô vie fêlée! Prenez tout, je brade mon âme, mon cœur, mes larmes maigres, mon espérance. Mes illusions comme friandises! Soyez pas timides, allons, prenez... Quant aux couleurs et au destin je les invente. Et je bascule. C'est le sommeil fatal qui vient. Non, Alma, arrête un peu. Je le jure, je vais tenir. J'ai dit que je ne croyais en rien, sinon aux chiffres : mais je crois en cette course. Je pense que j'ai une chance sur le numéro 7 et peu m'importe si ce matin les nuages entravent le soleil. Il y a suffisamment de lumière, et puis ma mémoire connaît tellement cette étoile qu'elle peut la faire surgir à volonté. Un bai se détache, ce n'est pas mon numéro 7. Le numéro 3 prend la tête, suivi du 6 et du 11.

Les premiers seront les derniers

Mon cheval n'est ni dans les premiers, ni dans les derniers, il ne s'engage pas encore, il reste caché dans le médium, attendant le troisième et dernier tour d'obstacles. Il faut battre en retraite, comploter dans son coin jusqu'au moment critique, jusqu'au coup d'État. Je pense : les courses, c'est comme la politique, comme les échecs, comme le succès, comme l'amour, il faut arriver à temps. Les obstacles défilent comme les visages dans mes souvenirs ; nous sommes dans un tunnel parsemé de lumière. Un *home run* exceptionnel déplace mon attention sur le terrain de baseball pendant quelques secondes mais le joueur dérape et fait une lourde chute. Il se relève ; je replonge dans la course. Werther passe devant moi à la vitesse du son, il se détache graduellement. Ne pas crier victoire, je ne suis pas dans un jeu vidéo.

J'ai admis que le monde allait finir depuis quelque temps déjà, mais je commence seulement à le comprendre. Je ne dévoilerai pas mes sentiments les plus intimes. Je veux seulement vous dire que j'ai aimé le baseball avec la même passion que j'ai aimé mon chien, et Chateaubriand aussi je l'ai aimé, j'ai juré que je garderai cela enfoui dans les secrets de mon âme. *Oublier les* Mémoires, *mettre en avant le sport* : j'ai freiné mon ardeur. C'était si fastueux!

Je ne sais pas quel âge j'ai

Lou Gehrig continue à frapper. Sa balle va bien trop loin, c'est sûr, elle va toucher une bombe. Car les bombes aussi je les vois tomber là-bas sur le bois de Boulogne. Elles font des petits points qui choient du ciel. Un bruit assourdissant suivi instantanément d'un éclat de fumée opaque. Ils sont tous sur le champ, parfois ils me regardent. Il y a les soldats de la Wehrmacht. Les officiers de la SS. Les avions fusent. Il y a Max Aue, il y a mes joueurs de baseball, il y a les robots de Daft Punk, il y a Glenn Gould, ils marchent, sans pourtant venir jusqu'à moi : leurs pas ne sont pas effectifs. Mais tant pis je pense : « la course, Alma, la course — aller jusqu'au bout ».

Je suis dans l'épopée

Double barrière, puis haie et comme le temps ils reviennent mes chevaux, les tribunes aboient beuglent rugissent, moi je m'en fous je suis ailleurs : Werther est un astre une bombe un légendaire aérolithe, Werther est mon soleil de plomb, l'étoile filante qui jaillit de mes yeux! Oui je crois en mon cheval, je crois en la victoire qui se dessine comme un nouvel amour, mon cœur palpite et il chavire, je voudrais tant pouvoir aimer! Plus que 2 800 mètres à soutenir, et qu'on m'offre une seule caresse, je ne l'attends plus mais je l'espère, j'en fais le vœu, je prends des risques : ma chute est libre et passionnée. Languée. Membrée. Ma chute est d'or et couronnée d'azur, elle est l'éclair dont je frissonne, aimer aimer aimer, comment faire pour triompher du verbe, de ces 5 lettres friponnes et dures qui me tourmentent! Continue Werth', faufile-toi vers le ciel comme un reptile entre les rives. Werther et Dorothéa vous annoncent qu'ils vont bientôt quitter la Terre quitter le ciel : adopter l'univers. Ils se trouveront une belle planète : B 610, B 611, B 613 — et leur voisin sera prestigieux. Blond comme le soleil, affreusement décoiffé, le manteau bleu céruléen, intérieur rouge, comme un trésor : et puis l'épée...

Alma, calmez-vous

Regardez-moi : vous m'ennuyez, je vous pardonne. Vous ne m'aimez pas, je vous pardonne. Vous m'aimez bien, je vous pardonne. Vous m'aimez trop, je vous pardonne. Vous m'oubliez, je vous pardonne. Vous me flattez, je vous pardonne. Vous me blessez, je vous pardonne ! Vous m'approchez, je vous pardonne. Vous me quittez... je vous pardonne. Le calme ! Être en paix avec le monde avec la perte avec l'oubli. La fin de la course arrive, une butte en terre, et c'est plié.

M'avez-vous crue ? *Plié*, mais rien du tout... Le mammouth est à l'approche, mastodonte et roi du champ. Le *Juge de Paix* : caché de l'autre côté du parcours, au 4 800ᵉ mètre ; je lève les yeux vers l'écran géant et j'y admire le dinosaure. Énorme tronc, interminable espace, et pour finir, haie d'éléphant : un monde en un obstacle. Sûr, cette fois, c'est fichu. Je pense au cercueil de mon cheval : au bois que je vais lui choisir. Est-il possible d'enterrer son champion ? Wolfgang, nous l'avons laissé entre les mains douteuses des vétérinaires, et où est-il allé ? Il est allé *au pays des merveilles*, dirait mon oncle. Au pays des merveilles, on équarrit. Le Juge de Paix arrive, le Juge de Paix s'annonce, c'est un mont silencieux, les tribunes sont désertées par les cris — on oublie chaque détail de ce qu'on a pu vivre, on sort du temps! — le Juge de Paix!

Franchi

Comme une lettre à la poste : obstacle expédié. Werth' et moi venons d'accéder à une sphère inédite : la sphère des presque-vainqueurs. Elle est clinquante et vous chatouille. J'y crois à cette victoire, bientôt j'y serai. J'ai pris de la hauteur : mon orgueil s'étire comme un lion. Werther! Mon duc. Courage obstination acharnement : et surtout, du désir. La récompense sera inouïe, je vous le promets... Hélas, et merci, nous venons de perdre un jockey qui n'était pas bleu-jaune. Enlevé telle une mouche par la langue affamée d'un lézard, au 21e obstacle. Et sur une simple haie! L'idiot. Tombé comme Félix Faure, en pleine action et pour si peu... Nous n'avons même pas vécu de près la chose; l'écran était heureusement là pour nous donner à voir le corps en train d'être enseveli. Son cheval continue seul. Il ne faut pas qu'il y ait de victimes, je ne veux surtout pas qu'on interrompe le parcours. Remarquez, parfois il y a des morts et on n'interrompt pas, c'est la magie des courses! Un cheval peut succomber au champ d'honneur, cela n'a pas d'impact. On ne neutralise pas : on décorde. Les chevaux se décalent légèrement, ils frôlent le malheureux. Pas le temps pour la mort;

l'idée m'amuse. Nous ne pouvons pas autoriser l'émotion à se donner en spectacle : il faut qu'elle soit invisible si elle veut pouvoir durer. Je pense : comme à la guerre. Un soldat meurt, la bataille continue. Une course hippique n'est pas un divertissement comme les autres. Une course hippique est une épreuve, un peu comme l'extermination des Juifs. On a abattu, on a continué. On ne pouvait pas se permettre d'interrompre. Il fallait aller jusqu'au bout du raisonnement et de ses convictions. Il faut aller jusqu'au bout de la course : se dépasser. C'est bel et bien une forme d'athlétisme. Le numéro 6 fait de l'ombre à mon cheval. Il lui met une désagréable pression. Werther est rabattu. Je comprends pourquoi grand-père aimait les courses ; il revivait la tension du court-circuit. 6 et 7 sont maintenant au coude à coude.

Sale 6, meurs

J'entends une voix jaillir soudainement de ma mémoire comme une vague haute de 7 mètres, c'est la voix de ma mère, elle est douce, elle me dit : *Dorothéa, quoi qu'il arrive, on laisse passer les gens.* Nous allons vers une possible victoire, le 6 est débordé. Mais il est trop tôt pour le dire. Werther ! Je ne rigole pas, j'ai misé ma vie sur ton galop ! Qu'elle est fragile, Alma... Elle est meurtrie comme un soulier. Vous n'imaginez pas comme elle erre, comme elle voudrait tant être aimée. Elle joue du cor dans la forêt lointaine, l'écho pour seule réaction. Abattue, elle se relève, rêvant la fin, rêvant la trêve : la rencontre absolue.

La tendresse

Je suis entrée dans la vie, je suis sortie de la vie, j'ai côtoyé la mort (oui je l'ai connue) et j'ai perduré dans la crainte de ne pas être assez faible ni assez forte pour supporter le feu. Nos chevaux reviennent, mon 7 flamboie et moi je brûle — je disparais par petits bouts, aspirée par le fanatisme du besoin d'aimer... Je ne vais pas *m'enfuir*, non, je vais *m'enfouir* dans le déluge de mon ardeur — amour, aimer, illusion, encore, la roue, toujours : battre sa fureur contre le désert du monde! Je donne, mais alors qu'on me laisse donner; il me faut un visage une voix une confidence et un suspens. Des couleurs pleines dures et sensibles. Un mot, une nuance, un geste hautain, invisiblement tendre : deux solitudes inespérées. Oui j'ai aimé sans être aimée, oui j'ai voulu sans être voulue, alors j'ai pris la route des tranchées à l'aube, la peau badigeonnée de fange, de fiel et d'ignorance, avec mes rêves effondrés... Je me suis récité un air dans le silence de ma mémoire, les notes s'enlaçaient et je voulais qu'on m'ovationne mais c'est la peur qui m'a saignée, et la douleur des petits mensonges, logeant des balles dans mes promesses — quel vacarme, quelle fronde — emportées, comme des oiseaux vers une nouvelle saison. Ô, Alma, vieille avant l'heure... Qu'on me fraye un chemin vers le

passé, j'ai des naufrages à reprendre. Que sont deve-
nues ma verve, ma jeunesse, ma fureur? Volcan
impétueux que j'étais! Que je suis encore! Mais je
me suis cachée, reniée dans l'ourlet des ténèbres. J'ai
renoncé à la passion, au tape-à-l'œil, pourquoi? Il est
temps de se remettre à plaire, d'ouvrir à plus vaste
que le malheur. Je peux tout gouverner. Il me faut
une seule révélation.

J'attends l'éclair

Je ne suis pas de l'hiver, je ne suis pas de l'automne, je ne suis pas du printemps, je ne suis pas de
l'été, mais d'une cinquième saison. Jetée dans le
monde, j'ai observé puis j'ai compris. Maintenant le
jeu est dans vos mains, c'est un royaume écrit en
signes : du braille conçu pour pardonner. La course
flambe comme aujourd'hui. Encore une. Je compte
les obstacles les foulées les morts. Ma blessure est
comme neuve, venez la toucher. Je ne contrarie pas le
cours des choses : je laisse le mal, le bien s'enchevê-
trer, conduire les jours, les dynasties, les joies, les
noms et le supplice. Où sont mes chevaux? Je les ai
délaissés. Trop de vouloir, cela me tue. Pour une victoire : combien d'échecs à fabriquer? La séduction...

Werther prend l'avantage, il se place. J'ai tant
attendu cet instant. Maintenant qu'il est là, c'est pire
encore. Werth' ne peut plus se permettre d'échouer :
dans le sursaut de l'espoir croît aussi la longueur de la
chute. Je ne suis pas en état de chuter longuement :

trop de fatigue, il me faut tomber court. Tu m'entends, Werth'? Je te renie si tu échoues! Pas de numéro 3, pas de numéro 2, non : je te veux seul là-haut, comme Dieu. En ce qui concerne l'extermination, je crois que je n'ai pas à m'inquiéter. Je ne serai pas supprimée comme mes ancêtres — il est toujours bon de le dire —, je peux vivre de courses, de fêtes, de Pepsi, je suis libre de respirer, sans la peur au ventre de finir mes jours dans une fosse commune, tuée d'une balle dans la nuque ou au monoxyde de carbone, et c'est une raison suffisante pour saluer les États-Unis d'Amérique ainsi que les Anglais, les Canadiens, et la Résistance française. Je pense que nous devrions lever nos verres, d'ailleurs j'aimerais faire l'expérience d'être ivre continuellement pendant toute une année, sans redescendre, sans connaître la chute. Voyager voyager voyager dans les phrases et les instants. Me recouvrir d'histoires. De rires. Errer dans les bouteilles nues, dans les songes, dans les fictions. Dormir à la maison le soir, dans ma maison disparue! Revenir et demeurer. M'envelopper de repos. Thé au rhum, miel, gouttes de lait. Ah, Balthazar, comme on a rigolé. C'était les 400 coups le soir... Les 600 coups la matinée. De défi en défi, de bazar en bazar, tu ne m'as rien épargné, je ne t'ai rien épargné... Enfants sots, enfants rois, enfants cruels et chevaleresques, prêts à mourir pour la victoire! Un meilleur score! Ingrats! Tu aurais parié sur le numéro 6 aujourd'hui, tout pour me faire du tort. Mais tes flèches étaient en mousse, et le poison, blessant et cru mais pas fatal. On en a vu des choses... À Auteuil, dans la pampa de nos songes, puis rue Jacob... Festins misérables et somptueux, fêtes assommantes, soirées sans fin! Feux d'artifice à profusion... tous invisibles... On a vécu un conte, on s'échangeait les rôles : princesse et prince, bon et méchant, roi fée valet reine et servante, orphelins sans amour. La Belle et la Bête... La Brute et le Truand... Batailles de pieds, de mains, oreillers, traversins, combien de plumes ont valsé dans la chambre... grand-père, on t'aurait plu...

J'ai enfoui mes souvenirs dans les débris de ma mémoire, mes espoirs fous et contrariés, chevaux sportifs livres chéris, tant relus, mes complots mes délires mes amours impossibles et inavouées, mes machinations, ma soif de gloire d'accomplissement d'inconnu. Grand-père, aide-moi, raisonne-moi, tu ne vois pas que je me perds? Est-ce qu'au moins les morts nous voient? Je tue le temps par le souvenir de ton absence. Quand je veux du soir : j'éteins le ciel. Quand je veux la paix : je couvre les voix de mes cris silencieux. Grand-père... retourne-toi et écoute : j'ai tant à te dire, peu importe les phrases, et si ma parole s'effondre, demeureront mon regard et mes peurs à te confier. J'ai tout gardé en moi, héros courses sportifs illusions, romans et rêves, craintes désirs écorchures. Je t'offre un bout de mon âme, peut-être le plus atroce, peut-être le plus insignifiant! Grand-père : oui écoute-moi qui te parle. J'ai marché sur la mer de mon passé, à l'aurore sur la plage, les pieds offerts au sable froid ; j'ai attendu la marée, qu'elle me reprenne en hâte, je chuchotais ma litanie devant l'énormité du large, je disais : *nous avons atteint dans l'erreur le point de perfection.* Plus que tout, je voulais une tête, une intelligence, un cœur pour m'accompagner dans cette interminable errance, et dans l'âge aussi, dans les années qui tombent ; et je le veux toujours. Mais je suis un orage interdit de croyances, profonde malédiction. Et toi, grand-père, as-tu cru un jour même au plus infime instant ? Jacob, nom de mon nom, sang de mon sang, je ne t'ai pas connu, je ne t'ai jamais touché — tout a fui dans le noir. Si tu pouvais me parler, si je pouvais t'entendre ! Joies peines défaites triomphes. Je voudrais demeurer comme le marbre sur la Terre, comme le noyau du monde, comme l'eau et le soleil : être interminable.

Mes oreilles s'ouvrent à nouveau, le bruit des tribunes éclate sur mon visage, c'est rapide et blessant comme une griffure. Nous arrivons à la fin, je n'ai rien vu venir. Wolfgang va certainement franchir la ligne seul. 1 000 mètres. Je voulais dire Werther mais je ne sais plus. Il pourrait s'agir de Wolf. Il est peut-être encore vivant, il n'a peut-être jamais été mort ; il se peut que je me sois trompée sur tout. Renvoyée par le temps... 800 mètres. Mon 7 accélère, il se détache. La joie retombe la soif retombe la passion retombe et même l'ennui succombe au divertissement. Toujours, nous redescendons, incapables que nous sommes de maintenir à flots nos états émotifs, nos sentiments : piégés par l'éternelle loi de gravitation... Les voix s'agitent, Werth' est la foudre qui s'abattra sur la ligne, l'avenir est infiniment proche. 600 mètres. Mes yeux brûlent, dilatés, drogués au sprint final.

Ne me réveillez pas

Si ce n'est plus la fosse commune, qu'on me dise le vrai risque que j'encours. Je veux savoir ce qu'il peut m'arriver de plus terrible au temps où je vis, dans les circonstances et l'environnement qui sont les miens. Jadis, je pensais que le pire c'était la bouteille de Coca-Cola vide sur la table du salon. Ce vide était ma mort. Mon 7 est désormais en tête. C'est dans les dernières secondes que tout se joue. Je crois que j'ai dépassé cette crainte. Le pire est peut-être que je perde mais je l'ignore à cet instant, oui je l'ignore moi l'ignorante. J'admire l'étendue de mon royaume entouré de sommeil. Je ne sais pas pourquoi je suis venue ici. Un livre tel que *Le Petit Prince* a jeté des couleurs dans ma vie et peut-être que sans *Le Petit Prince* je me serais pendue comme un enfant de 7 ans pourrait se pendre aux barreaux de son lit superposé avec une petite ceinture de tissu ou de cuir : une ceinture enfantine. Le 6 revient en force. Ils sont au coude à coude. *Le Petit Prince*, c'était un gentil monde : j'avais besoin d'un gentil monde. Il ne pleuvra pas. Il nous faut un gentil monde comme il nous faut une trêve entre deux rivières de sang. 5 700 000. Pourquoi. Ils arrivent le sol tremble je frémis. Les cris de la foule la joie des enfants. Je t'ai tuée sale bête. Comme vous je vais mourir. Le ciel le baseball le soleil les chevaux. Je pardonne à Hitler, je pardonne aux nazis. La douleur est bleu-jaune. Je mens pourquoi je mens. Encore 40 mètres encore quelques secondes. Pourquoi Dieu. Je ne le crois pas je suis en vie. 5 700 000 — plus les innombrables poussières. Nous sommes recouverts de cendre. Faire un petit trou dans la cendre, une trace. L'arrivée le vainqueur les acclamations. Le monde a changé c'est sans retour. Le monde je le vois rouge cinabre. Souviens-toi, grand-père, comme c'était beau! Non je t'en supplie ne sois pas déçu.